PRESENTA:

MI PRIMERA ENCICLOPEDIA

GRUMPY

PRESENTA:

MI PRIMERA ENCICLOPEDIA

TOMO 3

Calendario—Comercio

EDITORIAL CUMBRE, S.A.

MI PRIMERA ENCICLOPEDIA

ISBN 970-611-050-X obra completa
ISBN 970-611-053-4 tomo 3

Publicada por
PROMOTORA EDITORIAL, S.A. de C.V.
Presidente Masarik 101
Col. Chapultepec Morales
México, D.F.

Esta séptima reimpresión de la primera edición de MI PRIMERA ENCICLOPEDIA DISNEY, que consta de 4 250 colecciones, se terminó de imprimir el mes de septiembre de MCMXC en los talleres de Gráficas Montealbán, Municipio de El Marqués, Querétaro.

IMPRESO EN MÉXICO PRINTED IN MEXICO

¿Para qué son los símbolos?

Cada uno de los artículos de MI PRIMERA ENCICLOPEDIA va precedido de un símbolo. Los símbolos son auxiliares pedagógicos cuya función es parecida a la de los letreros de las carreteras: indican hacia dónde vas, en este caso, cuando empiezas a leer un artículo. Por ejemplo, si te remites al artículo titulado **Pitón,** el símbolo correspondiente te indica que pitón es un reptil perteneciente a un grupo zoológico que incluye a los lagartos, las tortugas y las serpientes. De esta manera, los símbolos te ayudan a clasificar y a organizar en tu mente la información que te proporciona esta obra.

Arboles

 *Arte y literatura*

 *Asuntos mundiales*

 *Aves*

 *Batracios*

 *Ciencia*

 *Comportamiento animal*

 *Comportamiento humano*

 *Comunicación*

 *Cuerpo humano*

 *Deportes*

 *Dinosaurios*

 *Economía*

 *Espacio ultraterrestre*

 *Espectáculos*

 *Flores y plantas*

 *Historia antigua*

 *Historia moderna*

 *Insectos*

 *Mamíferos*

 *Música*

 *Peces*

 *Personajes famosos*

 *Planeta Tierra*

 *Religión*

 *Reptiles*

 *Transportes*

 *Vida acuática*

Calendario

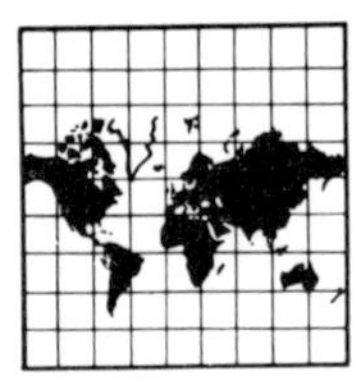

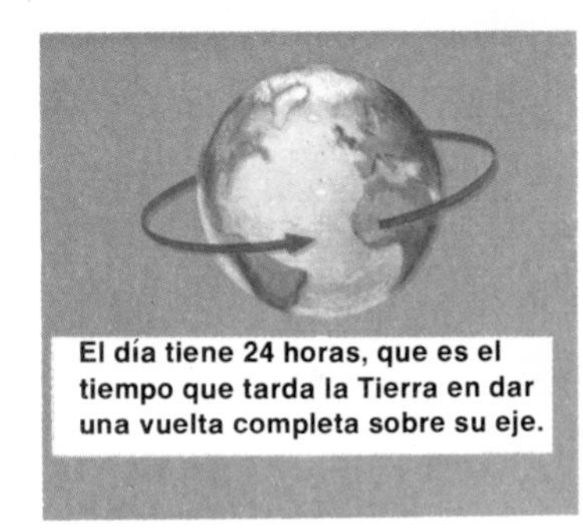

Nuestros calendarios se basan en los movimientos de la Tierra, el Sol y la Luna.

El calendario nos ayuda a llevar la cuenta de los días, las semanas, los meses y los años. Las divisiones del tiempo que marcan los calendarios se basan en los movimientos de la Tierra, el Sol y la Luna.

Los primeros calendarios no eran exactos. En el calendario romano, el año tenía sólo 354 días. El año tiene 365 días y cuarto, aproximadamente, que es lo que tarda la Tierra en dar una vuelta alrededor del Sol.

En la época en que Julio César gobernaba Roma, el calendario romano fallaba en 80 días. César y sus astrónomos modificaron el calendario y dieron al año 365 días. Cada cuatro años se agregaba un día a febrero para sumar los cuartos de día que sobraban.

Sin embargo, el calendario de César aún no era exacto. En 1582, el papa Gregorio XIII propuso que se hiciera un calendario más exacto. A éste se le llamó calendario gregoriano y es el que utilizamos actualmente.

Calor

El calor es una forma de energía. Esa energía se produce por el constante movimiento de átomos y moléculas que hay en toda materia. Mientras más rápido se mueven, más caliente se pone la sustancia o el objeto.

Los átomos y las moléculas pueden ser forzados a moverse con mayor rapidez mediante diversos métodos. Uno es por reacción química, como la combustión que ocurre cuando se quema un combustible. Otra es mediante fricción, que se produce cuando dos objetos se frotan.

Calor no es lo mismo que temperatura. La temperatura nos dice lo caliente o lo frío de un objeto y se mide con un termómetro.

El calor producido por un objeto es la medida de la energía que éste despide.

Una manera de medir una cantidad de calor es en calorías, que es la cantidad de calor necesaria para elevar un gramo de agua un grado centígrado a presión atmosférica normal.

Véase también *Combustible; Energía; Meteorología;* y *Sol, el.*

A nivel del mar, el agua hierve a temperatura más elevada porque allí la presión atmosférica es mayor. Esa presión es menor en la cima de montañas.

Camaleón

El camaleón suele tornarse de muchos colores (amarillo, pardo, verde y azul). Cuando se enfurece, se vuelve negro.

El camaleón es un reptil conocido por su facultad de cambiar rápidamente de color. La piel se le torna de diversos colores cuando está asustado o cuando cambia la temperatura. El camaleón tiene ojos protuberantes, con los que puede ver en dos direcciones distintas al mismo tiempo. Viven en árboles y arbustos y se alimentan de insectos que capturan con la lengua, que es larga y pegajosa.

Hay más de 90 especies diferentes de camaleones. Algunos miden apenas 5 cm de longitud. Los mayores llegan a medir hasta 61 cm de largo. Una gran mayoría de camaleones vive al sur del Sáhara, en África, y en Madagascar. Sólo unos cuantos viven en Europa.

Véase también *Lagarto*.

El camaleón tiene el cuerpo cubierto de pequeñas escamas.

Cámara

Antes, se tardaba entre 15 minutos y una hora para sacar una fotografía.

La cámara fotográfica consiste en una caja con una lente de cristal llamada objetivo y llega hasta la pared opuesta de la caja, donde forma una imagen. Mientras mejor es la lente, más nítida resulta la imagen. En la pared opuesta de la caja se coloca una película sensible a la luz.

El objetivo se mantiene cerrado mediante un mecanismo llamado diafragma. Al tomarse la fotografía, se aprieta un botón que abre el diafragma. La luz pasa a través de la lente y forma una imagen en la película. Al revelarse esa película, se obtiene una fotografía. Algunas cámaras revelan automáticamente las fotos un minuto después de haberlas tomado.

Véase también *Fotografía*.

Las cámaras antiguas eran cajas muy rudimentarias. Las modernas son de tamaños muy diversos.

Camarón

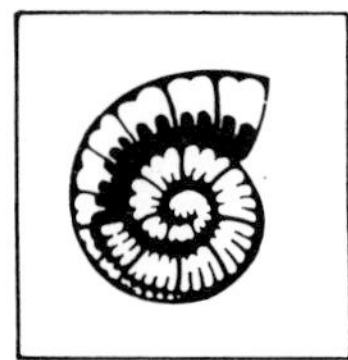

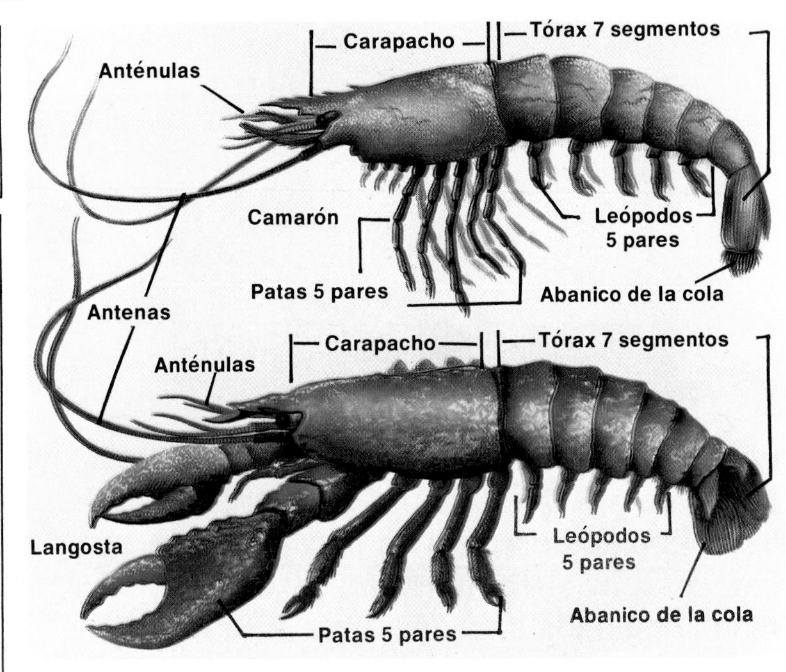

Los camarones, las langostas y los cangrejos de mar y de río son crustáceos, o sea, animales cubiertos con una caparazón dura. Hay unas 26.000 especies de crustáceos.

El camarón es un crustáceo pequeño que vive principalmente en los mares templados y tropicales. Llega a alcanzar el tamaño de una langosta pequeña. El camarón tiene el cuerpo largo y delgado, el dorso curvo y cinco pares de patas con articulaciones. La cola, en forma de abanico, le sirve para nadar hacia atrás. Los ojos los tiene situados en antenas móviles. En el abdomen le sobresalen unos pequeños "remos" llamados leópodos, que le sirven para nadar. Los camarones se alimentan de algas y animales marinos pequeños.

Los camarones son magníficos nadadores. Durante el día a menudo se entierran en la arena o el lodo.

Camello

Al trotar, los camellos levantan al mismo tiempo las dos patas de un mismo lado del cuerpo.

Hay dos especies de camellos: el bactriano, de dos jorobas, y el dromedario, de sólo una. El bactriano vive en Asia Central y el dromedario en África y Asia Occidental. El camello bactriano tiene las patas más cortas y el pelo más largo.

Los bactrianos y los dromedarios se adaptan muy bien al desierto y son capaces de pasar muchos días sin comer o beber. Sus jorobas están hechas de un tejido adiposo. Tienen enormes pestañas que les protegen los ojos de la arena que el viento levanta en el desierto. Los camellos transportan personas y cargas; su carne y su leche son buenos alimentos. También se aprovecha su piel.

Los camellos transportan jinetes y carga en el desierto.

Caminata

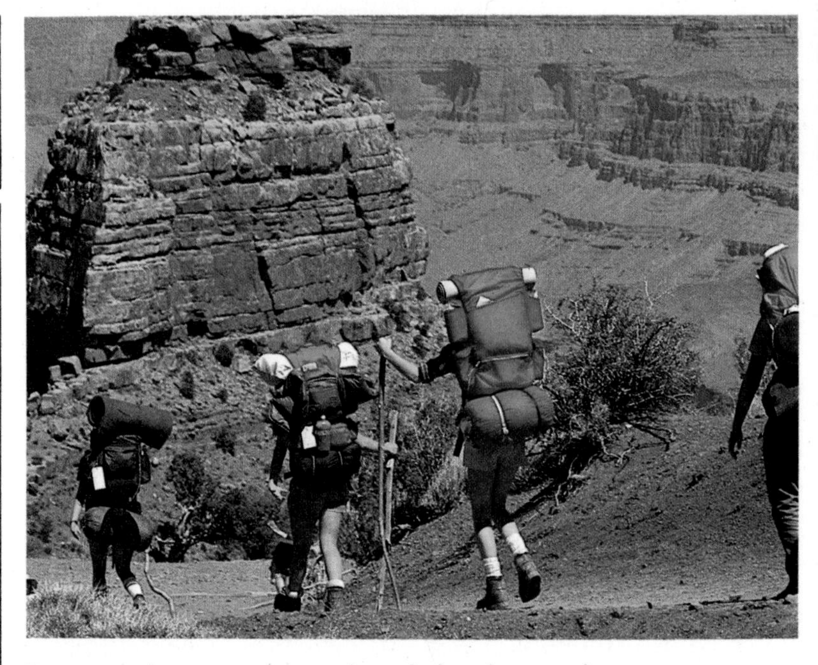

Al emprender una caminata debe llevarse en una mochila todo el equipo que es necesario para acampar.

La caminata es un ejercicio deportivo que consiste en andar largas distancias. Quienes practican este ejercicio tienen la oportunidad de entrar en contacto con la naturaleza, caminar por el campo, olvidarse de los ruidos de la ciudad y disfrutar de la quietud de los bosques, las montañas, los lagos y los arroyos. En sus excursiones, los caminantes pueden observar a los animales en su ambiente natural y hacer cosas poco habituales, como cocinar o dormir al aire libre.

Para emprender una caminata conviene elegir ropa ligera y cómoda, pero que proporcione protección contra picaduras de insectos. Hay que usar zapatos resistentes y cómodos, y llevar un botiquín de primeros auxilios, alimentos, agua, fósforos, un cuchillo, un mapa, una brújula y un suéter.

También es conveniente avisar a alguien a dónde se piensa ir. Así, en caso de extravío, habrá quien pueda ayudar en la búsqueda.

Véase también *Campismo* y *Excursionismo*.

Caminos

Un camino es una vía de paso utilizada por personas y vehículos. Los primeros caminos se hicieron para unir los asentamientos de las distintas tribus. Al avanzar las civilizaciones, los caminos se hicieron necesarios como vías de comunicación y para transportar mercaderías a lomo de animal o en carretas.

Los romanos fueron los mejores constructores de caminos en la antigüedad. Construyeron unos 112.630 kilómetros de caminos militares en toda Italia y hasta los confines más lejanos del imperio. En la Edad Media se dejaron de construir caminos. En el siglo XIX volvieron a construirse.

Los romanos construyeron la Vía Apia, que recorría 563 kilómetros de Roma a Brindisi, en el extremo meridional de la península italiana. Fue una de las principales vías comerciales y militares.

El aumento del tránsito de automóviles y camiones después de la Primera Guerra Mundial dio un gran impulso a la construcción de carreteras.

“Campismo”

Si no tienes tienda de campaña, puedes construir un cobertizo con palos gruesos, ramas y helechos.

Acampar es disfrutar del aire libre. Si quieres divertirte, debes llevar un buen equipo que incluya una tienda de campaña a prueba de lluvia, ropas de abrigo, una bolsa de dormir, una lámpara de pilas, un botiquín de primeros auxilios y comida. Debes acampar en un lugar plano que tenga árboles que den sombra.

Es importante asegurar que el fuego quede totalmente extinguido una vez que hayas acabado de utilizarlo. También, antes de irte, deber dejar limpio el lugar donde acampaste.

Apaga bien las cenizas del fuego antes de irte.

Camuflaje

A veces los avestruces parecen arbustos, sobre todo cuando ocultan la cabeza.

El camuflaje es una forma de disfrazar a personas, animales o cosas. La persona o cosa camuflada se confunde con el medio que la rodea y es muy difícil de ver. Los soldados que combaten en la selva visten prendas con manchones verdes y negros. Los que combaten en regiones cercanas al polo norte visten uniformes blancos como la nieve.

A menudo el color de los animales imita el del suelo o las plantas que los rodean. Los osos polares se confunden con la nieve y el hielo. El saltamontes, que parece una hoja de hierba, puede engañar a un pájaro hambriento. Las jirafas, los leones y las cebras se confunden con las sombras que proyectan los árboles y arbustos.

Este pez mariposa tiene manchas que semejan ojos enormes y hacen creer a otros seres que es un pez gigantesco.

Canadá

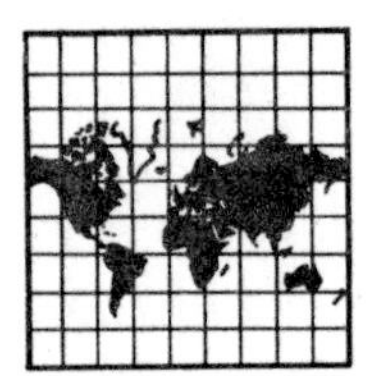

Canadá es el segundo país del mundo en extensión. Está situado al norte de Estados Unidos y va desde el océano Atlántico, al este, hasta el océano Pacífico, al oeste. Al norte limita con el océano Ártico.

Canadá se divide en diez provincias y dos territorios. Cada provincia es responsable de sus propios asuntos, pero el gobierno federal, cuya cabecera está en la ciudad capital de Ottawa, es el que promulga leyes nacionales.

Los primeros colonizadores que se establecieron en el Canadá venían de Gran Bretaña y Francia. El inglés y el francés son idiomas oficiales en Canadá. También hay una vasta población de inmigrantes de otros países. Los primeros pobladores de Canadá, los indios y los esquimales, siguen viviendo ahí.

Canadá es un país rico en recursos naturales, tiene petróleo, gas natural, uranio y oro. En las praderas occidentales se cultivan trigo y otros cereales, y los bosques proporcionan madera.

Los paisajes de Canadá son hermosísimos. Van desde las elevadas cumbres de las Rocosas hasta las costas de Nueva Escocia, que se muestran en la fotografía.

Canal

El canal de Welland es parte de la ruta fluvial del río San Lorenzo que une los Grandes Lagos con el océano Atlántico.

Los canales son cauces artificiales construidos para conducir agua; algunos son de riego, y otros, navegables. Los primeros llevan el agua de los ríos y los lagos a lugares secos para regar los sembradíos. Hay otros que sirven de paso entre mares u océanos, como el canal de Suez y el de Panamá. También se construyen canales como medios rápidos y fáciles de transporte.

Venecia es una ciudad de canales en que la gente se transporta en góndolas.

Los canales se construyen a un mismo nivel o a desnivel. En este último caso se ponen esclusas, es decir, tramos cerrados por compuertas de cierre hermético. Cuando un barco entra en una de esas esclusas, el nivel del agua se eleva o se reduce, y el barco pasa a otro nivel del canal. Las esclusas son como "escaleras de agua".

El canal de Panamá tiene precisamente esclusas de ese tipo.

Véase también *Canal: de Panamá* y *Canal: de Suez.*

Canal: de Panamá

El canal de Panamá es un paso artificial que une a los océanos Atlántico y Pacífico. Tiene 82 kilómetros de largo. Antes de que se construyera, los buques que viajaban del Atlántico al Pacífico tenían que rodear América del Sur.

La construcción del canal fue intentada por primera vez en 1881, por una compañía francesa bajo la dirección de Ferdinand de Lesseps. En 1889 se suspendieron los trabajos debido al agotamiento del presupuesto y a que miles de trabajadores murieron de paludismo y fiebre amarilla. En 1903, bajo la presidencia de Theodore Roosevelt, Estados Unidos firmó un tratado con Panamá en el que se le concedía el derecho de construir y controlar el canal. El canal se inauguró el 15 de agosto de 1914. En 1978 Panamá y Estados Unidos firmaron un tratado que otorga control total del canal a la nación panameña a partir del año 2000.

Véase también *Canal* y *canal: de Suez*.

Buques de carga y de pasajeros de todas las naciones utilizan el canal. Por medio de una serie de esclusas, el nivel del agua sube o baja para que pasen los barcos.

Canal: de Suez

El canal de Suez es un paso maritimo artificial construido al noreste de Egipto: une al mar Mediterráneo con el mar Rojo y mide 162 kilómetros de largo.

Fue hecho con el fin de acortar la distancia de navegación entre Europa y Asia. Antes, los barcos tenían que pasar por el sur de África para llegar al océano Índico.

Fernando de Lesseps, un diplomático e ingeniero francés (1805–1894), construyó el canal de Suez. Comenzó en 1859 y terminó diez años después. También intentó construir el de Panamá.

El de Suez no necesita esclusas porque el Mediterráneo y el Rojo tienen el mismo nivel de agua. Costó el equivalente a 92 millones de dólares.

Fue construido por una empresa particular con el acuerdo internacional de estar abierto para todas las naciones, pero Inglaterra mantuvo control.

En 1956, Egipto logró obtener el control de ese canal.

El canal de Suez ha sido ampliado en anchura y profundidad, para permitir el paso de buques cisterna gigantescos.

Cáncer

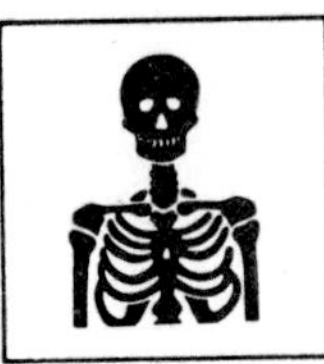

El cáncer no es una sola enfermedad, sino varias diferentes que atacan distintas partes del cuerpo. La leucemia es el cáncer que ataca a la médula ósea, donde se forman los glóbulos rojos y blancos de la sangre.

Todas las formas de cáncer comienzan con un aumento anormal del número de células, que comienzan a crecer y a multiplicarse. A veces las células afectadas forman una protuberancia llamada tumor maligno o canceroso, que puede crecer y extenderse por otras partes del cuerpo. Los tumores malignos llegan a destruir los órganos del cuerpo y causar dolores y la muerte.

Los científicos están tratando de descubrir el origen del cáncer para erradicarlo.

A veces, en los tratamientos contra el cáncer, los médicos extirpan las partes del cuerpo afectadas por ese mal y emplean radiaciones y medicamentos para destruir las células afectadas.

Hay productos químicos que pueden producir cáncer. A esos productos se les llama cancerígenos. Hay indicios de que los cigarrillos contienen sustancias cancerígenas.

Pregunta: ¿Qué tiene de raro esta ilustración?

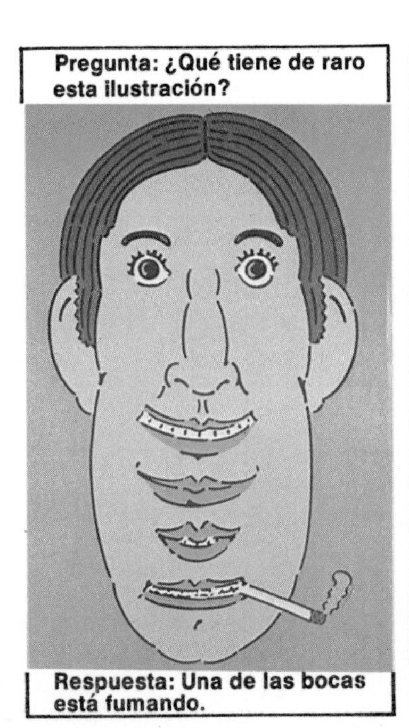

Respuesta: Una de las bocas está fumando.

Cangrejo

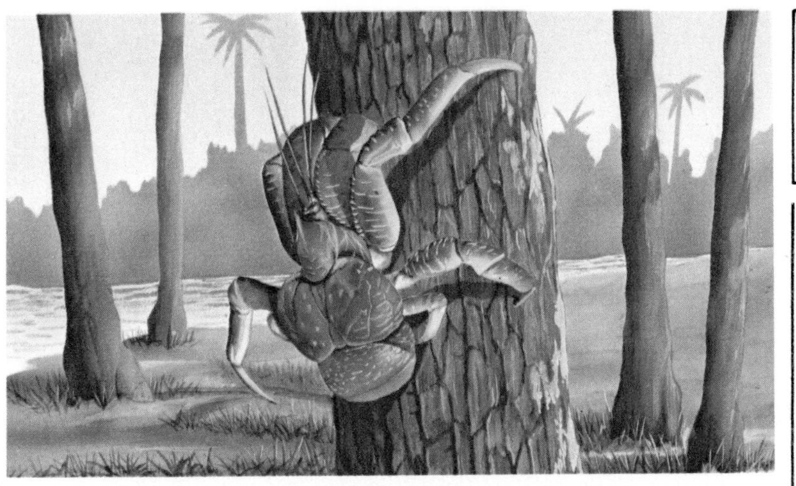

Una variedad de cangrejo puede medir hasta 45 cm de largo.

Los cangrejos son animales acuáticos con cinco pares de patas y caparazón calizo. Hay más de 1.000 especies y se encuentran en todas las partes del mundo. Algunos viven en agua salada; otros, en agua dulce, y otros más en tierra. Todas las hembras desovan en el agua.

Los cangrejos utilizan las pinzas de las patas delanteras para obtener alimentos y defenderse. Sus ojos, situados encima de una protuberancia de la cabeza, se mueven en todas direcciones.

Conforme crecen, cambian de caparazón, el que se parte y permite que el animal salga, provisto de otro más blando que se endurece en un par de días.

Esa variedad de cangrejo del sur del Pacífico puede subir por los cocoteros, dejar caer cocos para romperlos y comérselos después.

Cangrejo bayoneta

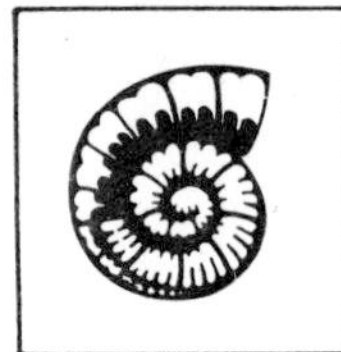

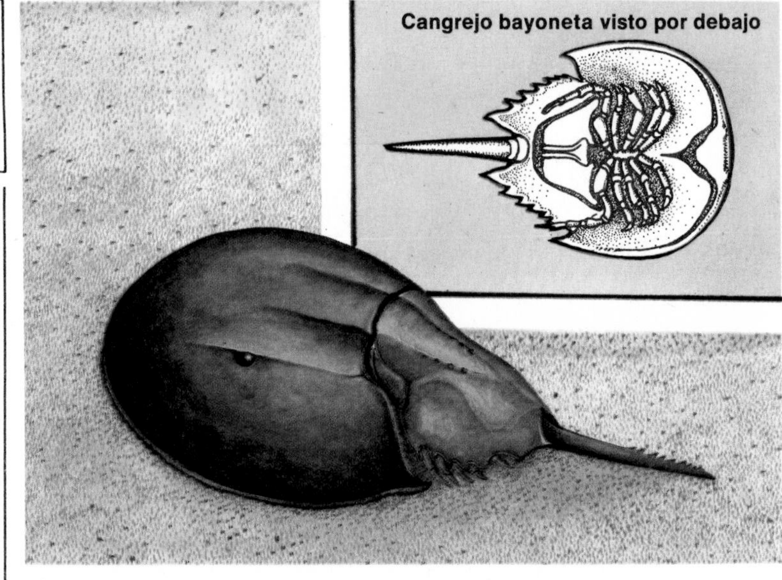

El cangrejo bayoneta ha existido desde hace unos 450 millones de años.

El cangrejo bayoneta es un artrópodo, al igual que los demás cangrejos, las arañas y los escorpiones.

Es un animal marino que permanece casi siempre en el fango o en la arena del fondo del mar buscando lombrices y pequeños mariscos para comer.

El cangrejo bayoneta tiene 10 patas y un caparazón duro de color café, con forma de herradura. Tiene un aspecto feroz, pero es inofensivo para el hombre. Hay cuatro o cinco especies de cangrejo bayoneta, y viven en los litorales del océano Atlántico, desde Maine hasta Yucatán, y en India y Japón.

Véase también *Araña* y *Cangrejo*.

El caparazón del cangrejo bayoneta lo hace parecer un pequeño tanque blindado.

Cangrejo ermitaño

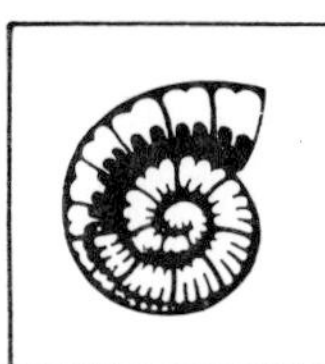

El cangrejo ermitaño tiene el cuerpo blando y carece de caparazón. Para protegerse, se mete en una concha vacía, por lo general, la de un caracol, a la que se sujeta con las patas traseras, que tienen forma de gancho. Cuando se asusta, se mete en la concha y cierra herméticamente la abertura.

Al ir creciendo, el cangrejo ermitaño tiene que ir mudándose a conchas cada vez más grandes.

Hay unas 500 especies de cangrejos ermitaños, las cuales, en su mayoría, viven en aguas poco profundas. Muy pocos habitan en mares profundos y algunos son terrestres.

Las anémonas que viven con los cangrejos ermitaños los protegen y los ocultan de los enemigos. La anémona se alimenta de los restos de comida que deja el cangrejo.

Las anémonas se adhieren a la concha donde vive el cangrejo ermitaño y van con él a todas partes.

Canguro

El canguro es el animal nacional de Australia. Utiliza su fuerte cola para equilibrarse.

El canguro es un mamífero marsupial de Australia, Tasmania y Nueva Guinea. La hembra lleva a sus crías en una bolsa que tiene en el vientre. Sus patas delanteras son cortas y las posteriores son grandes y fuertes. Saltan continuamente apoyándose en las patas posteriores y en la cola, que es muy resistente.

Su promedio de altura es de 1.5 a 1.8 m. Sus saltos son muy largos y les permiten avanzar con mucha rapidez.

La palabra marsupial se le aplica por la bolsa, o marsupia, que la hembra tiene en el vientre.

Los canguros recién nacidos viven en la bolsa de la madre durante varios meses, hasta que son suficientemente fuertes para andar solos.

La gente canta y tararea cuando está contenta o nerviosa.

El canto es el arte de producir con la voz palabras o sonidos en tonos musicales. En el canto la voz se convierte en instrumento musical. Una voz normal alcanza doce notas. Una voz educada puede alcanzar dieciséis. Las voces tienen distintos tonos, que van del agudo al grave. La voz femenina más aguda es la de soprano, y la más grave, la de contralto. La voz masculina más aguda es la de tenor, y la más grave, la de bajo. Los cantantes estudian canto para educar y desarrollar la voz. Aprenden a controlar la respiración y a aumentar su escala, es decir, el número de notas que pueden alcanzar.

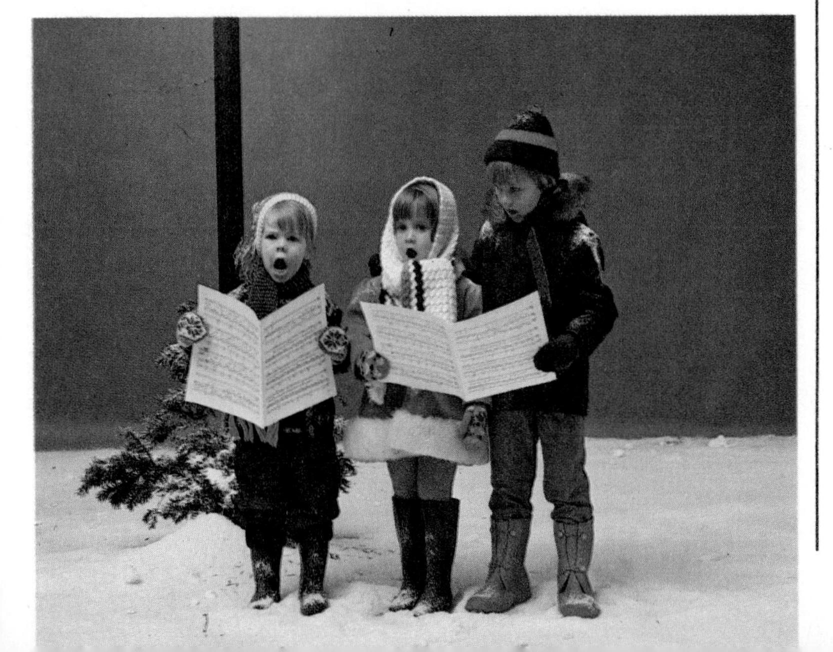

El canto es parte de muchas celebraciones. En la Navidad, los niños cantan villancicos.

Cañón

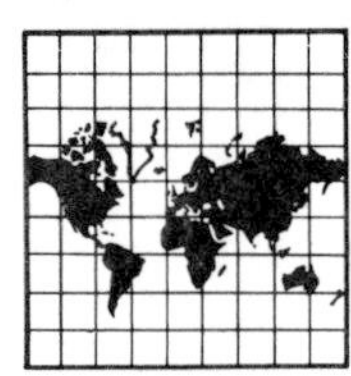

A menudo hay senderos que descienden hasta el fondo de los cañones. La gente baja por ellos a lomo de burro.

Un cañón es un tajo profundo de paredes escarpadas llamadas acantilados. Por lo general, los cañones son formados en terrenos rocosos y montañosos por ríos cuyas aguas desgastan las capas de roca. Un río puede tardar millones de años en formar un cañón. El cañón del Colorado es una de las maravillas del mundo. Durante millones de años, el río Colorado ha desgastado capas de piedra caliza y arenisca para formarlo. En algunos lugares, las paredes del cañón tienen más de 1.600 m de altura.

Otros cañones famosos de Estados Unidos son el Cañón Negro del río Gunnison, en Colorado, y el cañón de Yellowstone, en el Parque Nacional de Yellowstone. También tiene fama al del Sumidero, en México.

El cañón del Colorado tiene más de 350 km de largo y entre 6,4 y 29 km de anchura.

Caracol

Los caracoles son muy lentos. Los caracoles terrestres viven en regiones de clima templado o caliente.

El caracol es un molusco que tiene una concha espiral que lo protege de sus enemigos. Pertenece al grupo de los moluscos llamados gasterópodos, por tener un pie en el vientre. A diferencia de otros moluscos, los gasterópodos tienen cabeza y uno o dos pares de tentáculos. La mayoría de los caracoles marinos vive en las rocas o en los arrecifes de coral. Algunos se alimentan de almejas, ostras, estrellas de mar y otros caracoles; varios comen plantas. Los caracoles terrestres se alimentan de hojas y frutos.

Véase también *Moluscos*.

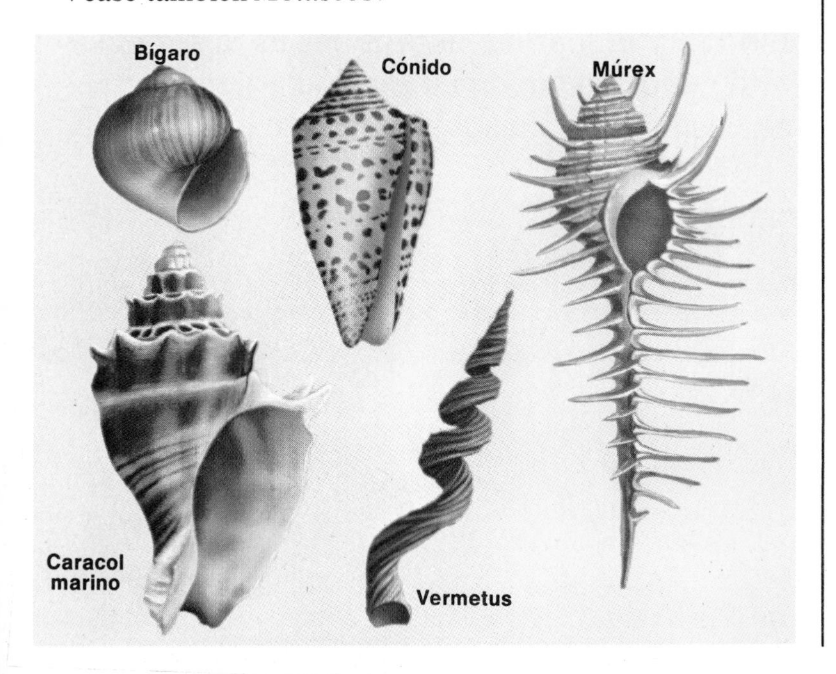

Como se ve en la fotografía, los caracoles marinos son de formas muy diversas. Algunos tienen concha en espiral; otros, en forma cónica.

Caracol marino

En un tiempo se llamaba a la gente haciendo sonar un caracol.

El caracol marino habita en todos los mares. Su gruesa concha es en espiral. Tiene una placa córnea (opérculo) que saca de la concha y la utiliza para avanzar en el fondo del mar.

Su concha, que también se llama caracol, puede ser blanca, rosada, roja o anaranjada. Es una de las conchas marinas más grandes y más bellas. Algunas del oeste del Pacífico, por ejemplo, llegan a medir 46 cm de longitud.

Las conchas de los caracoles marinos son muy apreciadas por algunos coleccionistas. También se usan para hacer joyas.

El más común de los caracoles marinos de la Florida y el mar de las Antillas es el rosado. Mide unos 30 cm de largo. Su carne se come en ensaladas y guisos de mariscos.

Véase también *Caracol* y *Concha*.

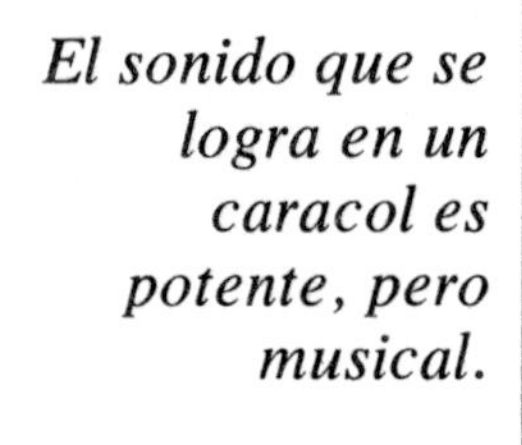

El sonido que se logra en un caracol es potente, pero musical.

Carbón

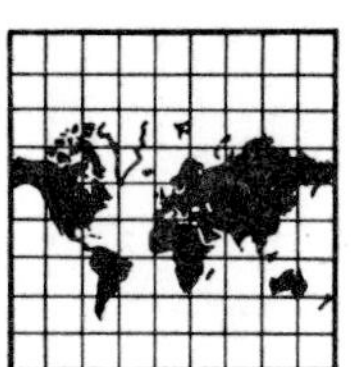

El carbón mineral se usa como combustible y para elaborar productos industriales. Su elemento principal es el carbono. Al igual que el petróleo, es un combustible fósil.

El carbón ha tenido mucha importancia en la industria moderna. Se utiliza para accionar las máquinas y también para la elaboración del acero. Como combustible, se emplea para generar electricidad. También se utiliza para fabricar productos químicos, plásticos, tintes, abonos, etcétera.

Hay carbón de leña, de piedra (hulla), fósil seco (antracita) y lignito (combustible fósil con 70 por ciento de carbono).

Véase también *Fósiles*.

El lignito es el más blando de los carbones por no haber perdido toda el agua al formarse.

Los principales yacimientos carboníferos están en Estados Unidos, Rusia, Europa occidental y China.

Cardenal

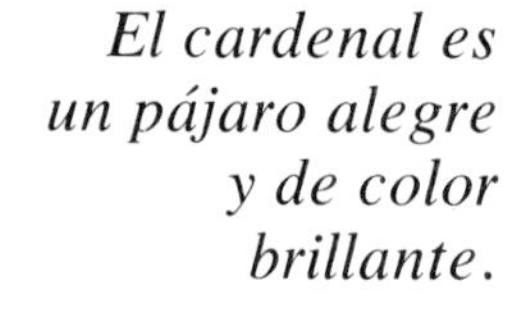

El cardenal es un pájaro alegre y de color brillante.

Los cardenales son pájaros muy populares por su brillante color rojo y su alegre canto. Tienen en lo alto de la cabeza una cresta formada de plumas. Sólo los machos son de color rojo brillante; las hembras tienen el pico y la cresta rojas, pero su cuerpo es de color pardo amarillento.

Los cardenales se alimentan de insectos y frutos, así como se semillas que parten con el pico. Los machos y las hembras cantan.

La hembra construye nidos redondos en los arbustos; utiliza ramitas, tallos, hojas y hierbas. Pone tres o cuatro huevos, que son de color azul pálido con manchas de color café claro o lila. Después los empolla durante 12 ó 13 días. La hembra y el macho alimentan a los polluelos, los que abandonan el nido cuando tienen nueve o diez días de nacidos.

Los cardenales viven en América del Norte y América del Sur. En su mayoría, no emigran en el invierno a lugares más cálidos.

Carlomagno

Carlomagno fue un general valiente en la guerra y un gobernante sabio en la paz.

Carlomagno fue un general y rey ilustre que vivió en la Edad Media. Nació en el año 742. Su padre era rey de los francos y gobernaba lo que ahora es Francia y Alemania. Cuando su padre murió, en 768, Carlomagno y su hermano Carlomán se dividieron el reino. Al morir éste, Carlomagno pasó a ser gobernante de todo el imperio.

Carlomagno tenía la ambición de dominar toda Europa y establecer el catolicismo como religión única. Defendió a la Iglesia contra sus enemigos y contribuyó a aumentar su poder.

En el año 800, el papa León III coronó a Carlomagno emperador del Sacro Imperio Romano. Este imperio, que incluía gran parte de Europa occidental, perduró durante mil años.

Carlomagno, cuyo nombre significa Carlos el Grande, fue un buen gobernante que hizo todo lo posible por lograr el adelanto de su pueblo, fomentando el comercio, la enseñanza y la religión.

Murió en el año 814.

Carne

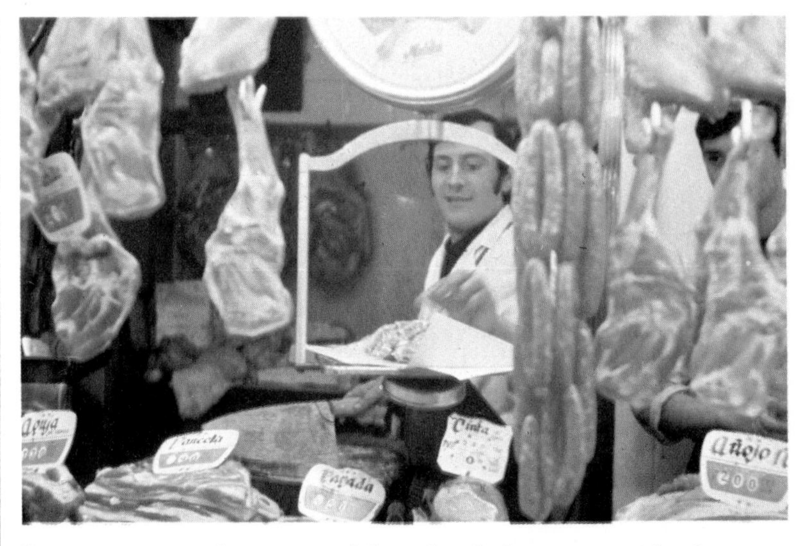

Los principales países productores de carne son Estados Unidos, China, la Unión Soviética, Alemania Federal, Francia, Argentina y Brasil.

La carne es la parte blanda del cuerpo de los animales. Es uno de los alimentos más importantes del hombre y el esencial para los animales llamados carnívoros. Contiene vitaminas, proteínas y minerales, que el cuerpo necesita para crecer y mantenerse sano. También es buena fuente de energía.

Como alimento, hay varias clases de carne: de vaca, de ternera, de carnero, de cerdo, etcétera. La de este último puede prepararse en forma de jamón, de tocino y chorizo, por ejemplo.

Antes de que hubiera métodos modernos de refrigeración, se comía carne fresca sólo en el verano, cuando el ganado podía pastar. Cuando la hierba se secaba en el otoño, el ganado era sacrificado y la carne se salaba y ahumaba para conservarla hasta el invierno.

Ahora a los animales se les da otro alimento en el invierno si no hay hierba o pienso. Así puede haber carne fresca todo el año y enviarse en camiones con frigoríficos a lugares distantes. También se prepara para conservarla en latas.

Véase también *Alimentos* y *Nutrición*.

Carpas y peces de colores

La carpa es un pez que vive en las aguas soleadas y poco profundas de estanques y lagos con fondos cenagosos y plantas acuáticas. Con unas antenas llamadas barbillas, la carpa busca en el cieno plantas y pequeños animales vivos o muertos. Las carpas de mayor tamaño miden más de 90 cm de largo y pesan más de 18 kg. La carpa vive en los países del norte de Europa, América y Asia.

Los peces de colores son de la familia de la carpa. Mucha gente los cría en acuarios.

Los peces de colores son una de las 1.500 especies de carpas que existen.

La carpa llega a vivir hasta 200 años.

Carreras

Las carreras son competiciones deportivas en las que los corredores intervienen individualmente o integrando equipos de relevo formados por cuatro miembros. Constituyen uno de los deportes más antiguos.

Los Juegos Olímpicos se iniciaron en el año 776 a. de C. en la antigua Grecia, y en un principio consistían en una sola prueba: una carrera de un extremo a otro del estadio. Las carreras son una de las competencias más importantes de las Olimpiadas modernas, que se celebran cada cuatro años.

Los corredores compiten en carreras de distancias diferentes, desde 100 metros hasta la maratón, que es de 42 kilómetros. También se efectúan carreras de relevos en distancias que van de 400 a 1.600 metros. En éstas, cada corredor de un equipo corre una cuarta parte de la distancia y pasa la estafeta a uno de sus compañeros.

Las carreras son excelentes para la adquisición de buena condición física, ya que fortalecen el músculo cardiaco.

Véase también *Atletismo* y *Juegos Olímpicos*.

Las pruebas de atletismo incluyen varias carreras.

Carreras: de caballos

Hay carreras en que los caballos tienen que salvar obstáculos.

Las carreras de caballos son un deporte en el que unos jinetes cabalgan para competir.

Las carreras modernas comenzaron en 1780 en Inglaterra, cuando el conde de Derby organizó la primera. En la actualidad es un deporte muy popular en muchos países.

En Estados Unidos hay tres importantes carreras de caballos: el Derby de Kentucky, la de Preakness y la de Belmont Stakes.

El público apuesta en las carreras de caballos.

Muchas razas de caballos compiten en las carreras. La más famosa es la del ''pura sangre'', originado con la cruza de caballo árabe y yegua inglesa.

En las carreras reñidas, la habilidad del jinete puede decidir que caballo será el triunfador.

Carroll, Lewis

En el País de las Maravillas, *Alicia encuentra a una oruga que habla en verso y al gato Cheshire, que puede desaparecer y dejar sólo su sonrisa.*

Lewis Carroll es el seudónimo de Charles Dodgson (1832–1898), catedrático de la Universidad de Oxford. Dodgson era muy tímido y quería mucho a los niños. Escribió las *Aventuras de Alicia en el País de las Maravillas* para una niña de diez años llamada Alicia Liddell, hija de un amigo. Esta obra es una de las más leídas en todo el mundo.

En el libro, Alicia se queda dormida y aparece en un mundo muy extraño. Unas veces se hace muy grande, y otras, muy pequeña. Alicia es invitada a tomar el té con unos amigos muy raros. Al final Alicia se da cuenta de que todo fue un sueño.

Alicia en el País de las Maravillas *también gusta a los adultos. En el libro se satiriza la política, la educación, los libros y los aspectos formales de la vida inglesa.*

Casas editoras

El corrector revisa el texto impreso para asegurarse de que esté correcto.

Las casas editoras son empresas que preparan y publican libros y revistas. A las personas que preparan el material para su publicación se les llama correctores de estilo (o de originales). Un corrector de estilo lee y corrige la obra de un escritor y la prepara para su impresión. El texto puede ir acompañado de fotografías u otros tipos de ilustraciones. El texto y las ilustraciones se envían al impresor con instrucciones para su impresión. El material se imprime en hojas que se ordenan para formar un libro, un periódico o cualquier otro tipo de obra impresa.

Véase también *Imprenta, Libro,* y *Periódico.*

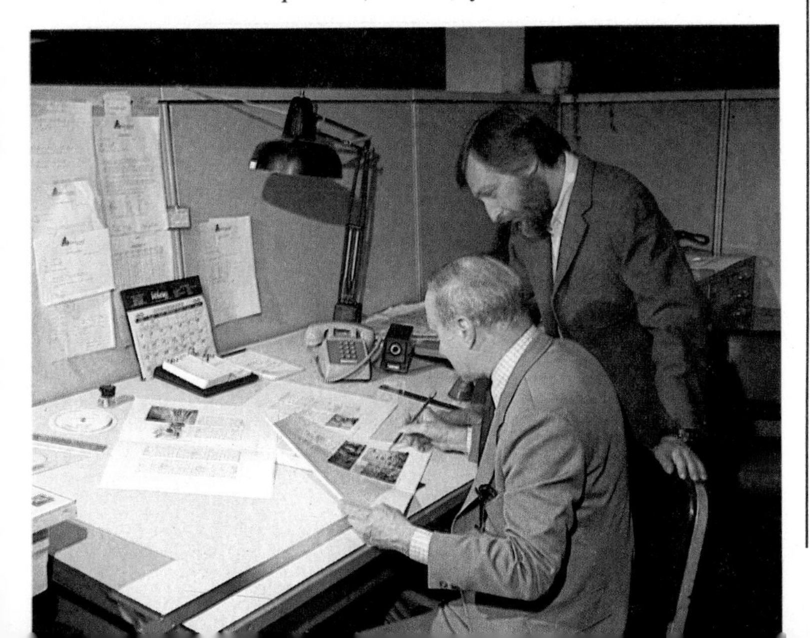

El director artístico se encarga de disponer el texto y las fotografías. Los periódicos se preparan para su publicación en cuestión de horas. Hay revistas que aparecen cada mes. La producción de un libro puede tardar más de un año.

Castillo

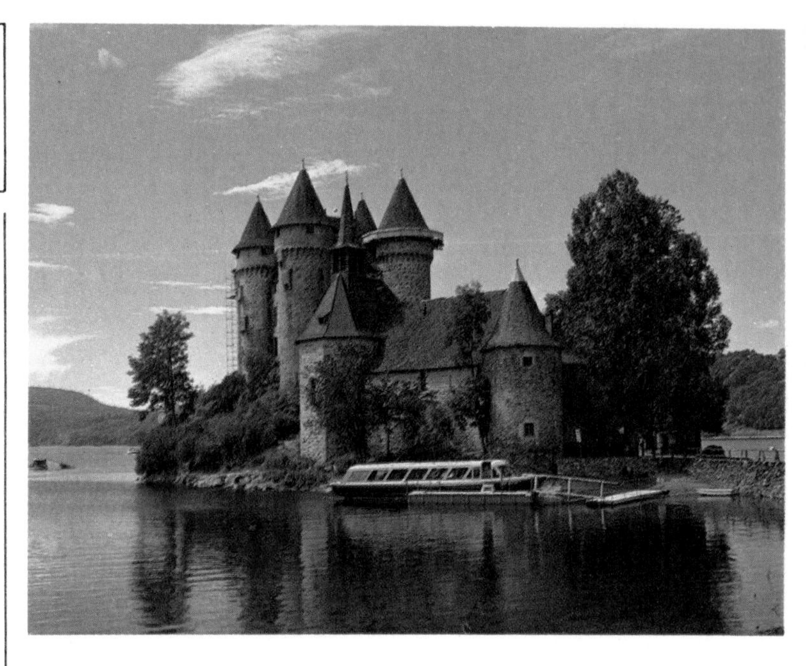

Muchos castillos estaban rodeados por fosos. Un puente levadizo cruzaba el foso y daba acceso al castillo. Algunos castillos se construían en islas.

Un castillo es una edificación fortificada para ser defendida contra algún ataque. Muchos pueblos antiguos construyeron elevadas murallas en torno a ciudades enteras para que fueran más seguras. Ése fue el origen de los castillos.

En la Edad Media se construyeron en toda Europa castillos que tenían murallas exteriores de mampostería de muchos metros de espesor. La muralla tenía una pesada puerta o puente levadizo, que podía levantarse en caso de ataque. Los soldados se apostaban en lo más alto de la muralla, protegidos por una barda de piedra llamada parapeto. Dentro del castillo había un patio con edificios en los que vivían y trabajaban los moradores del lugar. El edificio principal del castillo se llamaba torre del homenaje, y allí vivía el señor del castillo. Debajo de las torres estaban los calabozos.

Muchos castillos están en ruinas, pero en Europa hay algunos que aún están en pie y pueden visitarse.

Castor

Los castores se aparean para toda la vida.

El castor es un roedor que construye su madriguera con arcilla y ramas a la orilla de ríos y lagos.

Vive sólo en los países del hemisferio norte. Sus dientes son grandes y fuertes, con los que derriba árboles para cortar madera. Su cola es muy ancha y plana; con ella se ayuda para nadar y para construir su vivienda. Su principal alimento es la corteza de los árboles. Los corta para construir diques en los ríos.

Los castores viven en familias de unos doce miembros. Las parejas de castores se aparean para toda la vida y viven hasta unos 20 años. La hembra da a luz hasta unas cuatro crías, en la primavera.

Los castores recogen varitas y ramas para comer. Almacenan sus alimentos debajo del agua.

Catarata

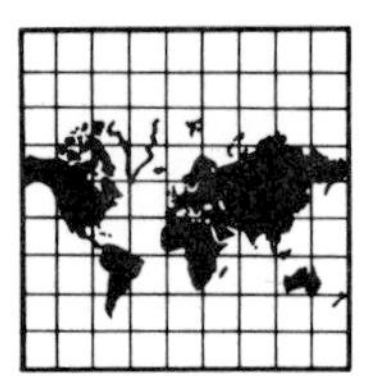

Algunas cataratas aumentan mucho su caudal en épocas de lluvia.

Una catarata es una corriente de agua que cae de un lugar alto a uno bajo. Las cataratas suelen formarse en lugares en que un río o un arroyo pasa de una región de rocas duras a otra de rocas blandas. Las rocas más blandas se erosionan con mayor rapidez y esto crea un pronunciado desnivel por el que desciende el agua. A menudo se aprovechan las cataratas para generar energía eléctrica. Algunas son también atracciones escénicas populares, como las cataratas del Niágara, en el estado de Nueva York, cerca de la frontera entre Estados Unidos y Canadá.

El Salto de Angel, en Venezuela, es la catarata más alta del mundo. Se le llamó así por el aviador norteamericano James Angel, que la descubrió desde un avión en 1935.

Catedral

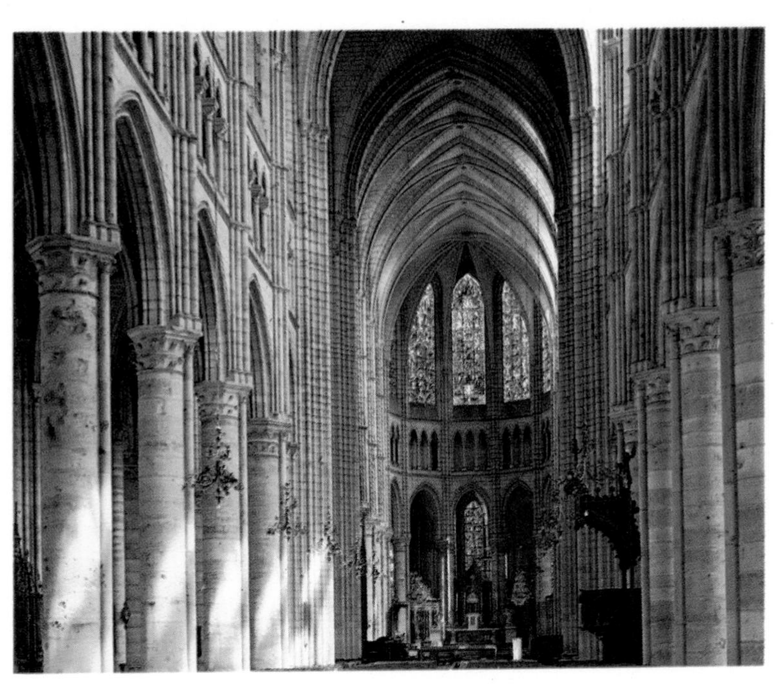

Las catedrales góticas tienen forma de cruz. El espacio mayor entre las arcadas se llama nave.

Una catedral es la iglesia sede de un obispo. En su mayoría, las catedrales son grandes, pero no todas. Las primeras grandes catedrales se construyeron en Europa durante la Edad Media. Algunas son tan inmensas que su construcción tardó unos cien años.

Los decorados de las catedrales son de tema religioso. Con frecuencia, están adornados con vitrales que representan pasajes bíblicos. En la Edad Media, casi nadie sabía leer, y la gente aprendía los pasajes de la Biblia viéndolos en los vitrales.

Se han construido catedrales en muchos estilos diferentes. A partir de finales del siglo XII, casi todas las catedrales fueron de estilo gótico. Las catedrales góticas parecen ascender hacia el cielo. Todas sus formas apuntan hacia arriba.

Muchas de las más famosas de Europa son góticas.

Caucho

La mayor parte del caucho natural procede de Malasia e Indonesia. En la actualidad se utiliza más el caucho sintético que el natural.

El caucho natural es una sustancia elástica de látex, secreción lechosa que se obtiene de varios árboles y plantas tropicales. El látex circula por un sistema de vasos distintos de los de la savia, inmediatamente debajo de la corteza. Al secarse, el látex se endurece y se convierte en caucho.

El caucho es repelente al agua y muy resistente. Casi todo el caucho se utiliza para hacer llantas y cámaras. También se emplea para fabricar calzado, equipo deportivo, material aislante y muchos otros productos.

El caucho se ha utilizado desde tiempos muy antiguos. En el siglo XVI, los europeos que exploraron América del Sur y Central vieron que los indígenas tenían pelotas, zapatos y botellas de caucho. En el siglo XIX se establecieron en Europa fábricas para hacer artículos de caucho, tales como ligas y elásticos. En 1839, el norteamericano Charles Goodyear inventó un método para que el caucho fuera más elástico y pudiera resistir mejor el calor y el frío. Ese descubrimiento fue llamado vulcanización y condujo al desarrollo de la moderna industria del caucho.

Las lechuzas tienen enormes ojos para cazar en la oscuridad. Vuelan silenciosamente hasta su presa y la atrapan con sus afiladas garras.

Los animales que cazan a otros para comer son llamados predadores. Los animales a los que cazan, capturan y devoran son la presa.

Los predadores tienen muchas armas naturales para matar a su presa. Por ejemplo, los grandes felinos avanzan silenciosamente sobre sus patas acolchadas y matan con sus afilados dientes a sus víctimas; las serpientes venenosas inyectan veneno con los colmillos; las arañas atrapan a las moscas en las telarañas. Hay animales que cazan en grupo, como los lobos.

Un lobato tiene mucho que aprender antes de salir a cazar con la manada.

Cebra

La cebra es un animal salvaje de la familia del caballo; es de pelaje rayado blanco, o amarillo, con negro o pardo oscuro. Las cebras viven en África, al sur del Sáhara. Hay varias especies de cebras, la mayor de las cuales, la imperial, mide 1,5 metros a la altura de la cruz y vive en África oriental; la más pequeña mide poco más de 1 metro de alto y vive en las montañas y praderas de las costas de África sudoccidental.

Las cebras suelen pacer en las praderas, donde son presa de animales carnívoros como los leones y los leopardos. Una de las escasas defensas que las cebras tienen contra esos animales es su pelaje rayado, que les sirve de camuflaje. Vistas a distancia en una pradera abierta, las rayas se confunden con las luces y las sombras del terreno. Las cebras se agrupan en manadas de hasta mil individuos, para protegerse de sus enemigos. No hay dos cebras con el mismo dibujo de las franjas.

La cebra macho trata de defender a sus crías atrayendo hacia él la atención del enemigo y huyendo después precipitadamente. A veces, la cebra puede repeler a su atacante dándole coces.

Ceguera

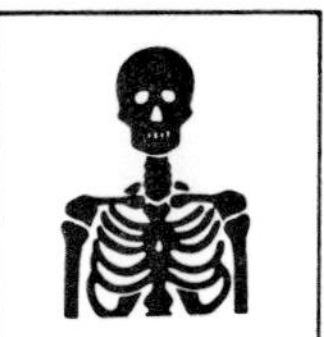

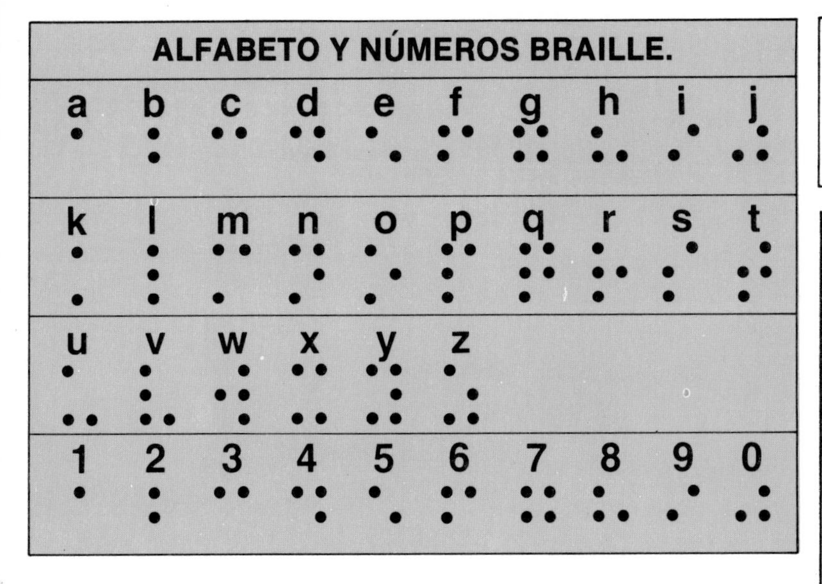

El alfabeto y los números Braille consisten en puntos realzados. Los ciegos los leen con la yema de los dedos.

La ceguera es la pérdida de la vista. Las personas completamente ciegas no pueden ver ni siquiera la luz. Algunos ciegos pueden distinguir luces y sombras; otros distinguen bultos. El 95 por ciento de los casos de ceguera son causados por enfermedades; el resto, por lesiones. Un número reducido de personas son ciegas de nacimiento.

Hay muchas escuelas y grupos que trabajan con los ciegos. La primera escuela para ciegos se creó en Francia, en 1784. La primera de Estados Unidos se fundó en 1832. El alfabeto Braille para los ciegos fue inventado en 1824 por Louis Braille, un profesor francés ciego. Los ''libros que hablan'', que son grabaciones de libros impresos, ayudan a los ciegos.

En la actualidad, los ciegos pueden recibir enseñanzas y capacitarse para llevar una vida normal.

Muchos ciegos caminan sólo con la ayuda de un bastón; otros son guiados por perros especialmente entrenados; algunos, inclusive, participan en muchos deportes.

Célula

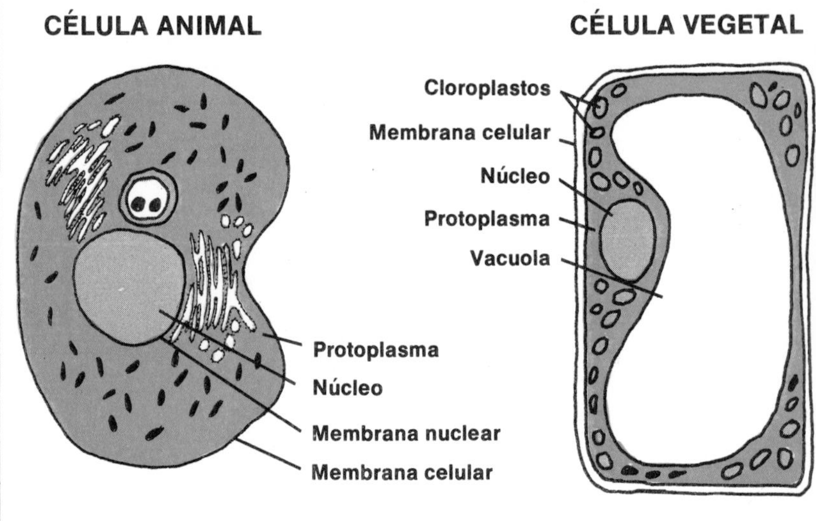

Las células vegetales y animales tienen tres partes principales: membrana, protoplasma y núcleo.

Todos los seres vivientes están hechos de células. En su mayoría, las células son tan pequeñas que sólo pueden verse con un microscopio. Algunos organismos están formados de una sola célula. El cuerpo humano tiene miles de millones de células. Las distintas partes del cuerpo están formadas por células diferentes.

Cada célula tiene tres partes principales. La primera es la membrana, que cubre el exterior de la célula. El agua, el oxígeno y los alimentos entran en la célula a través de la membrana. También a través de ella la célula expulsa los desechos. El protoplasma es la parte interior de la célula. En ella está el núcleo, que es redondo u ovalado. El núcleo controla el crecimiento y contiene los cromosomas, los que a su vez contienen los genes. En los genes está la "información" que hace que una planta o un animal crezca y se desarrolle como sus progenitores.

Las células se regeneran constantemente. Se dividen y multiplican por un proceso llamado división celular.

Cemento

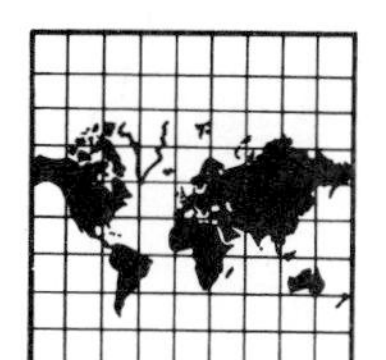

El cemento es un material de construcción muy importante que se fabrica calentando piedra caliza y arcilla y triturándolos hasta formar un polvo muy fino. El cemento se mezcla con agua, arena y grava y cuando se endurece forma el hormigón. El cemento sirve para pegar los demás materiales. El hormigón, o concreto, puede ser fácilmente armado en la forma en que se desee antes de que fragüe.

Los primeros en fabricar cemento y hormigón fueron los romanos. Algunos de sus edificios, puentes y caminos aún existen. Tras la caída del Imperio Romano, el cemento dejó de utilizarse en la construcción hasta finales del siglo XVIII, en que volvió a utilizarse nuevamente.

El mejor cemento que se utiliza actualmente es el llamado portland. Fue inventado en 1824 por un albañil inglés. El cemento portland fragua con mayor rapidez y es más resistente que los demás cementos. El cemento portland se fabrica en los principales países.

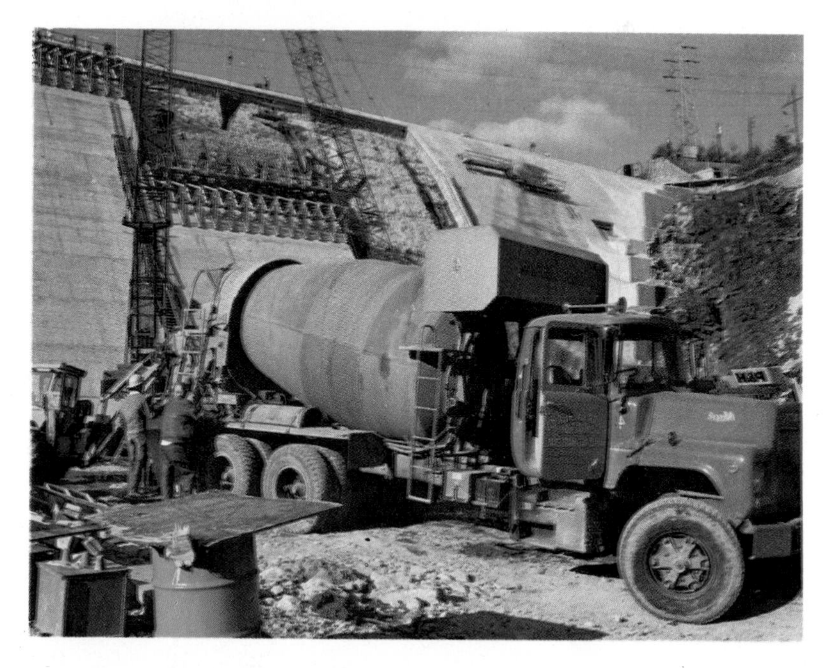

La revolvedora mezcla cemento, agua, grava y arena para formar el hormigón.

Cerámica

La cerámica es el arte de fabricar objetos de barro cocido. Los objetos pueden ser vasos, estatuillas, mosaicos, ladrillos, tazas o platos.

Las antiguas civilizaciones del Oriente Medio, México, América del Sur y Asia fabricaban notables objetos de cerámica. Uno de los cacharros más antiguos, encontrado en Asia, data del año 7000 a. de C.

Hay tres tipos básicos de cerámica: el gres, la loza de barro y la porcelana. Esta clasificación obedece al tipo de arcilla que se emplea y al método de cocción. La cerámica puede ser moldeada a mano en un torno de alfarero. El alfarero da forma con las manos a la arcilla mientras hace girar el torno con los pies. Luego de moldeada, la arcilla se cuece en un horno para endurecerla. Antes de cocerla, la arcilla puede ser decorada.

Shogi Hamada, el alfarero japonés de la fotografía, ha contribuido a popularizar la cerámica hecha a mano. Los alfareros graban diseños en sus piezas o las decoran con un vidriado de compuestos metálicos con los que se logran colores diversos.

Cerdos

Los cerdos son animales de patas cortas, piel gruesa y cuerpo en forma de barril. La mayoría de las especies de cerdos tienen trompa, la que utilizan para desenterrar bulbos y raíces. El jabalí es el antepasado de los cerdos domésticos, que se crían en las granjas. El jabalí se domesticó hace unos 5.000 años en China y hace 3.500 años en Europa. Los cerdos domésticos llegan a pesar entre 270 y 360 kilos en su edad adulta. Su carne sirve para elaborar jamón, tocino y salchichas. Con su piel se hacen artículos diversos y sus cerdas se utilizan para fabricar cepillos.

Los jabalíes corren muy rápido y nadan muy bien. De pequeños, los jabalíes son rayados, pero cuando crecen se vuelven de un solo color.

Los cerdos que se crían en las granjas son los parientes gordos de los jabalíes. Los cerdos domésticos gustan de revolcarse en el lodo para refrescarse y librarse de los insectos.

Cereales

El trigo crece en espigas de unos 41 cm de alto coronadas por un haz de semillas.

Los cereales son plantas gramíneas cuyas semillas son comestibles, como el trigo, el maíz, el arroz, la cebada, la avena y el centeno. Los cereales fueron las primeras plantas que el hombre aprendió a cultivar.

En muchas partes del mundo, el trigo es el cereal más importante. Los granos de trigo se muelen para hacer harina, con la que se fabrica pan. En Asia, el arroz es el alimento más importante. Crece en campos anegados llamados arrozales.

Los cereales son ricos en hidratos de carbono, vitaminas, proteínas y grasas.

Los cereales son una fuente alimenticia muy importante para el hombre y el ganado.

Cerebro

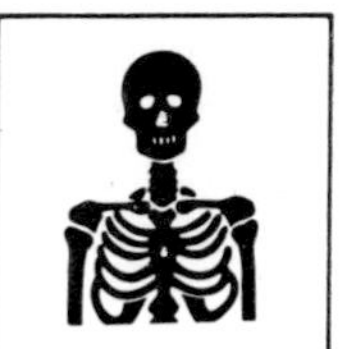

El cerebro es el órgano más importante del cuerpo. Sin él careceríamos de los sentidos de la vista, el oído, el gusto, el olfato y el tacto. Es el centro de coordinación de los movimientos concientes e inconscientes. Está en la parte superior del encéfalo.

El cerebro está hecho de células nerviosas llamadas neuronas.

El cerebro de animales pequeños como los caracoles tiene apenas unos cuantos miles de neuronas. El cerebro humano tiene unos diez mil millones de neuronas y es más complejo que el de cualquier otro animal.

El cerebro es una de las tres partes principales del encéfalo y es la de mayor tamaño; controla las funciones del pensamiento y la decisión. En la parte posterior del encéfalo está el cerebelo, que controla los movimientos. El bulbo raquídeo, la tercera parte del encéfalo, controla el ritmo cardiaco, la respiración y la presión sanguínea.

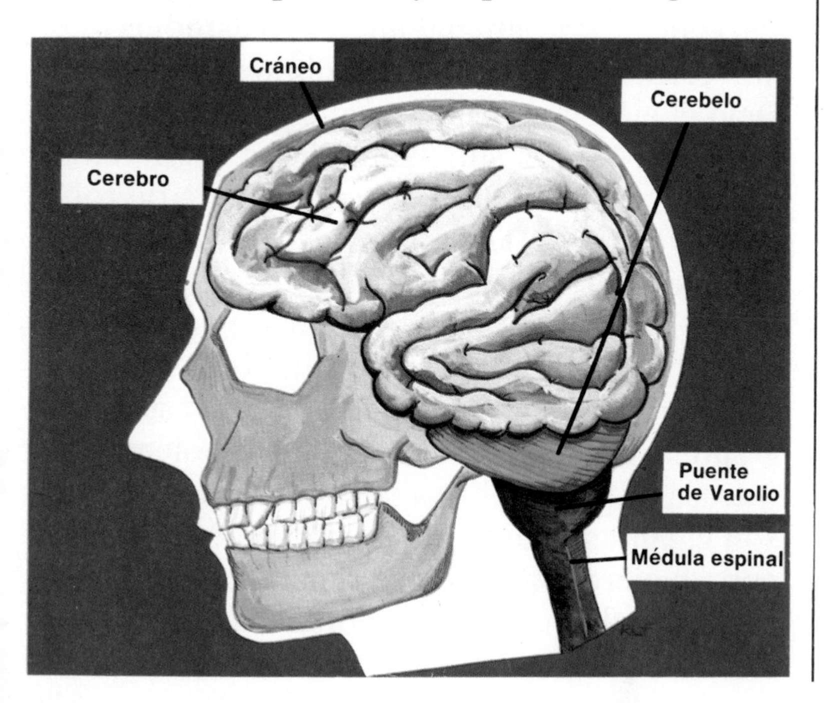

El cerebro está dentro de la cavidad craneana. Al igual que la mayoría de las partes del cuerpo, está constituido principalmente por agua. Está protegido por el cráneo y por un líquido especial que lo sostiene a flote.

Cervantes Saavedra, Miguel de

Don Quijote y su fiel escudero, Sancho Panza, son dos de los personajes más famosos de la literatura.

Miguel de Cervantes Saavedra (1547–1616) es el escritor español más importante de todos los tiempos. El *Quijote* es una de las obras cumbres de la literatura universal. Poco se sabe acerca de los primeros años de la vida de Cervantes. Probablemente cursó estudios universitarios. Fue soldado durante 10 años. Dejó el ejército en 1583 y comenzó a escribir. Como no ganaba suficiente dinero escribiendo, trabajó para el gobierno. Fue acusado de robo y estuvo dos veces en la cárcel. En 1603 se publicó la primera parte del *Quijote,* que le dio fama. La segunda parte se publicó en 1615.

Don Quijote, el héroe de la novela, es un caballero andante empeñado en realizar grandes hazañas, en las que, invariablemente, fracasa. Ataca molinos de viento creyendo que son gigantes. Confunde a un rebaño de ovejas con un ejército. Todos se ríen de él, pero él no ceja en su lucha. *Don Quijote* es un libro que exalta los valores de la fe y el idealismo.

César, Julio

Los gobernantes romanos que sucedieron a César tomaron el nombre de éste como título. La palabra kaiser, *que en alemán significa emperador, y la palabra rusa zar, se derivan de la palabra césar.*

Julio César fue un general romano y uno de los hombres más importantes de la historia. Nació en Roma en el año 100 a. de C. En aquel entonces, los nobles y los plebeyos se enfrentaban a menudo en guerras civiles. César ganó muchos seguidores entre los plebeyos y fue elegido para ocupar varios cargos políticos. Posteriormente, César se alió con los nobles y fue elegido cónsul, lo que le permitió ser uno de los dos gobernantes de Roma. Entre sus hazañas como general se cuenta la conquista de las Galias, región que actualmente comprende Francia y Bélgica. Al volver César a Roma con sus ejércitos victoriosos, el otro cónsul, llamado Pompeyo, huyó a Grecia.

César persiguió a Pompeyo y lo derrotó. Volvió a Roma triunfante y fue nombrado emperador. Fue asesinado en Roma por sus enemigos el 15 de marzo del año 44 a. de C.

Véase también *Imperio Romano*.

Cicindela

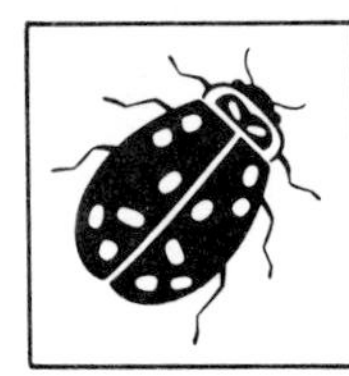

Las cicindelas son objeto de interés para los coleccionistas de insectos debido a su brillante color.

La cicindela es un insecto de color metálico y patas muy largas; se encuentra en todas las partes del mundo.

Son muy ágiles; corren y vuelan con rapidez para atrapar insectos.

Ponen sus huevos en la tierra, y sus larvas viven en hoyos. Tienen éstas en el segmento posterior unos gauchos que impiden que sean sacadas de su refugio. La cabeza les sirve como cierre del hoyo.

Cuando algún insecto pasa cerca, las larvas lo atrapan y lo arrastran hacia su refugio para comérselo.

A las cicindelas les gusta la luz del sol.

Ciempiés

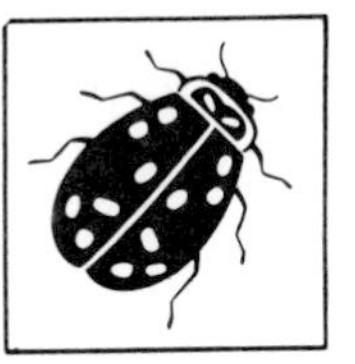

El ciempiés es un animal pequeño que parece un gusano con muchas patas. El ciempiés mide entre 2,5 y 30 cm de largo. Su cuerpo está dividido en muchos segmentos, en cada uno de los cuales tiene un par de patas. Tiene en realidad entre 30 y 346 patas, según su especie.

Los ciempiés habitan lugares oscuros, como troncos y cortezas de árbol, en la tierra o bajo las piedras. Por la noche cazan insectos, arañas, gusanos y animales pequeñitos a los que matan con unas garras venenosas que tienen detrás de la cabeza. Viven en lugares de clima cálido de todo el mundo.

Los ciempiés tienen entre 30 y 346 patas.

Muchas especies de ciempiés no tienen ojos.

Ciénaga

Las semillas de la espadaña se desarrollan dentro de las flores; luego, éstas flotan en el aire como paracaídas y esparcen las semillas.

Una ciénaga es un área de tierra baja e inundada que se encuentra cercana a las costas y a los ríos.

Las ciénagas surgen cuando el agua se acumula y se estanca sobre la tierra y la hace lodosa.

Términos afines de ciénaga son: pantano, lodazal, fangal y marisma. Ésta última suele aplicarse a los terrenos bajos anegadizos que se hallan principalmente a orillas del mar.

En algunas ciénagas hay hierbas y juncos, así como otras plantas de tierra húmeda: espadaña, ninfea y arándano. Viven allí insectos, peces y aves.

Véase también *Pantano*.

La espadaña llega a alcanzar una altura de 2,4 m. Las ratas almizcleras se alimentan de espadañas y, a menudo, hacen sus viviendas entre sus tallos.

Ciencia

Ciencia es el proceso sistemático de descubrir y explicar lo que hay y ocurre en la naturaleza. Esto se logra mediante la observación y la experimentación. Según su etimología, ciencia significa ‘‘saber.’’

Los científicos suelen concentrarse en una rama de conocimiento, como la astronomía, la física, la biología o la química.

Cuando hay nuevos descubrimientos, se crean nuevos campos científicos.

Antiguamente, hombres de ciencia se basaban en la observación, siendo pocas las veces que efectuaban experimentos para tener pruebas de sus teorías.

En los siglos XVI y XVII, los científicos se dedicaron más a la experimentación para presentar pruebas, lo que dió origen a la ciencia moderna.

Galileo, astrónomo del siglo XVI, fue el primero en aplicar el método científico. Al observar a las estrellas, ideó teorías y ofreció pruebas matemáticas de las mismas. Los científicos de hoy día siguen su ejemplo.

Véase también *Astronomía, Biología, Botánica, Científico, Física* y *Química*.

Los nuevos descubrimientos científicos han cambiado en forma muy significativa la vida del hombre en los 500 últimos años. Muchos científicos creen que los habitantes de la Tierra podrían establecer colonias en el espacio.

Ciencia ficción

Los cineastas de ciencia ficción construyen complejos aparatos científicos, como se muestra en este boceto para la película de Walt Disney El abismo negro.

La ciencia ficción es un género literario en que la ciencia es parte importante del argumento. Uno de los más antiguos escritores de ciencia ficción fue el griego Luciano, quien escribió sobre un viaje a la Luna en el primer siglo de nuestra era. En el siglo XIX, el escritor francés Julio Verne y el inglés H. G. Wells escribieron obras muy populares de ciencia ficción, como *20.000 leguas de viaje submarino* y *La máquina del tiempo,* respectivamente. En el siglo XX la ciencia ficción ha cobrado enorme popularidad en la literatura y en la cinematografía.

El futuro de viajes espaciales y exploraciones submarinas imaginado por los escritores de ciencia ficción se ha venido tornando en realidad.

Científico

Un científico es una persona con conocimiento especial de una o más ramas de las ciencias.

Son muchas esas ramas, como la astronomía y la zoología, que se refieren al cosmos y a los animales, respectivamente.

Los científicos utilizan métodos especiales para sus estudios, y a ellos se deben los grandes adelantos que se han logrado en múltiples aspectos de la vida.

Isaac Newton, por ejemplo, enunció la ley de la gravitación universal en el siglo XVII, después de haber observado la caída de una manzana de un árbol. En el siglo XVI el español Miguel Servet descubrió la circulación pulmonar de la sangre. En el siglo XIX el químico y biólogo francés Louis Pasteur creó la microbiología con sus investigaciones sobre las fermentaciones, las enfermedades contagiosas, y la profilaxis de la rabia y del carbunco; así comenzó la era de las vacunas. Los diversos descubrimientos médicos han mejorado mucho la vida.

Véase también *Ciencia*.

El físico y químico inglés Michael Faraday descubrió en el siglo XIX la inducción electro-magnética, formuló las leyes de la electrólisis y logró la licuación de los gases conocidos en su tiempo.

Ciervo

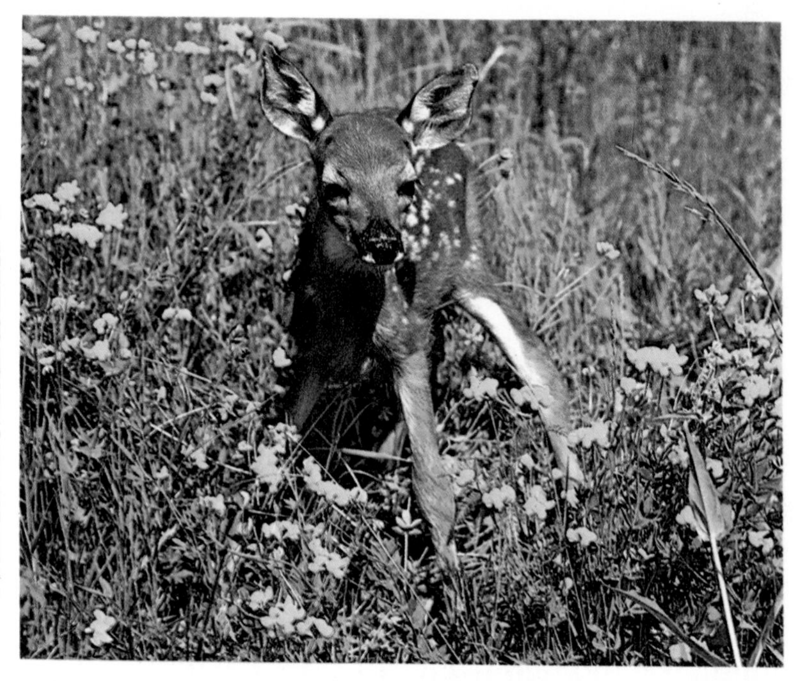

Los ciervos son rumiantes, o sea, mastican los alimentos varias veces antes de digerirlo. Los pequeños se llaman cervatos.

El ciervo es un rumiante de color pardo rojizo. Los machos tienen cuernos ramosos.

Hay unas 50 clases de ciervos. El más pequeño es el sudamericano pudú, que mide sólo 30 cm de alto. El mayor de todos es el alce, que llega a medir 2 metros.

Los ciervos comen solamente plantas, incluyendo hierba, hojas, ramitas y musgo.

El macho se defiende con los cuernos, los que pierde en el otoño y renueva en la primavera.

Véase también *Alce* y *Antílope*.

Los ciervos tienen mucha agilidad y hacen cabriolas en el aire.

Ciervo volante

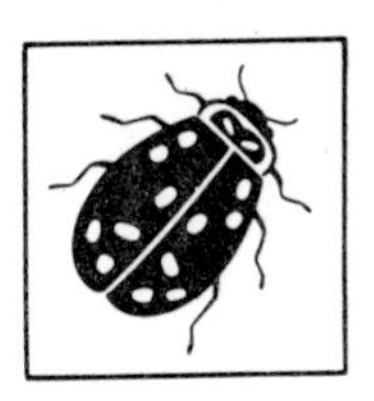

El ciervo volante es un escarabajo grande de mandíbulas muy desarrolladas.

Su nombre se debe precisamente a tales mandíbulas, que en los machos parecen cornamenta de ciervo. Algunos usan esos "cuernos" para pelear.

Hay unas 900 especies de ciervos volantes. Los mayores miden unos 6,4 centímetros de largo.

Casi todos son de color castaño oscuro o negro, pero algunos tienen colores brillantes. Viven en bosques y se alimentan de savia y plantas marchitas.

Las crías de los ciervos volantes parecen gorgojos. Pasan dos o tres años antes de que formen capullos en los que se convierten en adultos.

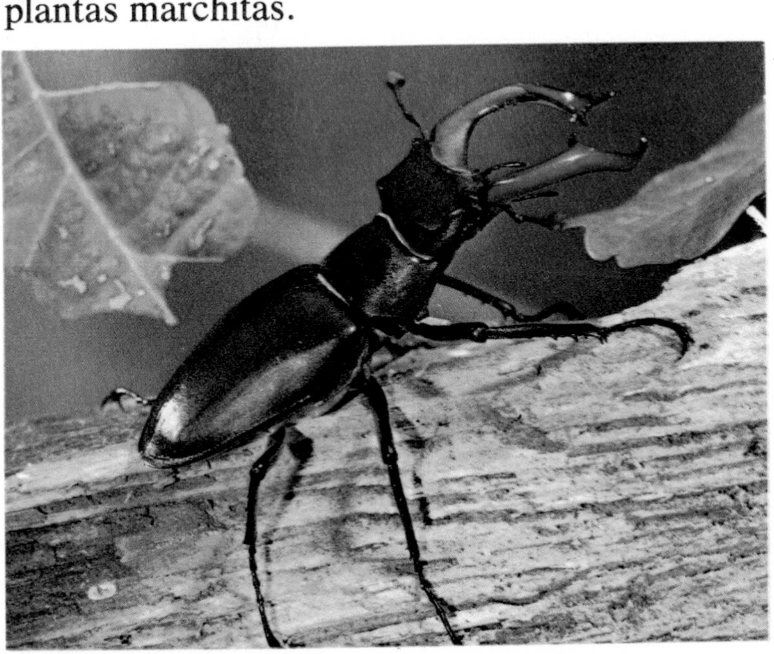

Los machos utilizan a veces sus largas mandíbulas para pelear. Sus luchas son bastantes violentas.

Cigoñuelas y avocetas

Las cigoñuelas y las avocetas parece que estuvieran paradas en zancos.

Las cigoñuelas y las avocetas son aves zancudas de pico largo y afilado, y de patas largas y delgadas. Viven en pantanos y lagunas de aguas poco profundas.

Con su largo pico buscan en el lodo y en el agua los animales pequeños que les sirvan de alimento.

Saben nadar y volar muy bien. Hacen sus nidos en aguas poco profundas o muy cerca de éstas.

Las crías pueden nadar y buscar alimentos al poco tiempo de haber nacido.

Las cigoñuelas se parecen a las cigüeñas; las avocetas son del tamaño de los faisanes.

Pequeñas bandadas de avocetas (izquierda) y de cigoñuelas (derecha) viven juntas de vez en cuando. Algunas especies de cigoñuelas se fingen heridas o muertas para proteger a sus crías de los animales carniceros.

Cigüeña

Las cigüeñas son aves zancudas que viven en las regiones templadas y tropicales.

Tienen el cuello y el pico muy largo. Con éste atrapan peces, maricos, ranas e insectos acuáticos.

Miden entre unos 60 y 150 centímetros de largo. La especie mayor es el marabú, que vive en Asia y África.

La cigüeña blanca de Europa es la más conocida. Hace su nido en chimeneas y en la parte superior de árboles. Se le atribuye traer buena suerte. En Dinamarca y Holanda se ponen plataformas para que descansen en las chimeneas.

Las cigüeñas pueden volar largas distancias. La cigüeña blanca europea vuela a África en invierno para alejarse del frío.

Las cigüeñas regresan de África a Europa para procrear. Por lo general, la misma pareja vuelve al mismo nido año tras año.

Cine

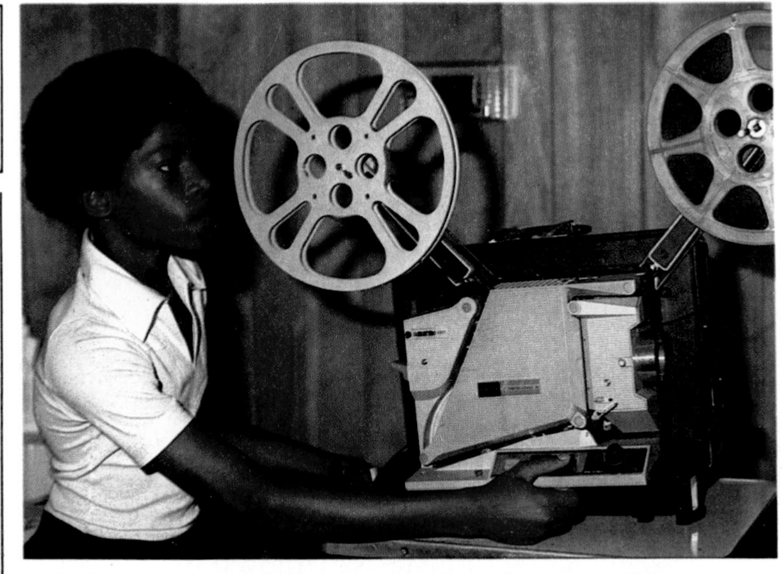

En las escuelas suelen proyectarse películas para enseñar a los alumnos.

El cine es una forma popular de arte. Sirve para entretener y educar. Las películas muestran a las personas y a las cosas en movimiento. Ese efecto se logra mediante la proyección rápida en una pantalla de una serie de fotografías.

Las cámaras cinematográficas y los proyectores datan de fines del siglo XIX. Pronto se hicieron películas de argumento dramático y el cine se popularizó.

En el año de 1927 se hizo la primera película sonora.

Véase también *Películas*.

En un cine, el público puede comer golosinas y beber refrescos mientras disfruta de una película.

Cinta magnetofónica

La cinta magnetofónica se utiliza para registrar sonidos, fotografías y otras formas de información. Es un método de reproducción flexible más duradero.

Esa cinta tiene partículas magnéticas en su superficie. La información es captada y transformada en señales eléctricas mediante un micrófono o una cámara de televisión.

La grabadora recoge esas señales y las graba en la cinta.

Las señales readaptan las partículas de que está recubierta la cinta.

Cuando la cinta es colocada en un aparato de reproducción sonora o visual, las señales son transmitidas como sonidos o como imágenes.

Las grabadoras visuales se usan mucho actualmente en las transmisiones por televisión.

También se hacen grabaciones especiales en alambres, discos y cilindros de superficie recubierta con una capa magnética.

Véase también *Grabación*.

En las escuelas se emplean grabaciones en cintas magnetofónicas para la enseñanza de idiomas y de varias otras materias.

Ciprés

Los cipreses pertenecen al grupo de las coníferas. Como la mayoría de esas plantas, son perennes, es decir, sus hojas permanecen verdes todo el año. Tienen pequeñas semillas en piñas.

Los cipreses abundan en América del Norte. América Central, Europa, Asia y África. Hay unas veinte especies. El llamado monterrey es el más famoso y llega a tener una altura de unos 18 m. Su parte superior es plana y los vientos fuertes a menudo le doblan las ramas, que, entonces, toman formas extrañas.

La madera del ciprés es rojiza y olorosa. Algunos cipreses alcanzan una altura de 30 m. Sus ramas crecen erguidas y próximas al tronco, lo que les da forma piramidal, fusiforme.

El llamado ciprés de Levante tiene las ramas abiertas.

La madera de los cipreses tiene la gran ventaja de ser incorruptible. Se utiliza mucho para hacer cercas.

Véase también *Conífera* y *Plantas: perennes*.

Izquierda: El ciprés monterrey alcanza unos 18 m de altura.

Derecha: La madera del ciprés es incorruptible en tierra húmeda. Por eso se emplea para hacer cercas.

Circo

En los circos romanos había carreras de carros.

Un circo es un espectáculo en el que los artistas realizan actos de habilidad, gracia o fuerza. Los trapecistas se columpian y saltan a grandes alturas; los acróbatas dan saltos espectaculares; los domadores obligan a las fieras a realizar distintos actos; los payasos hacen gracias para que la gente se ría.

Los primeros circos datan del tiempo de la Roma antigua. Los romanos presenciaban allí carreras de carros y luchas con espadas.

Los circos modernos comenzaron en Inglaterra hace unos 200 años.

Los circos van de ciudad en ciudad. Los actos son realizados en áreas circulares llamadas pistas. Uno grande puede tener tres.

Los payasos se maquillan para mostrar rostros cómicos.

Cirugía

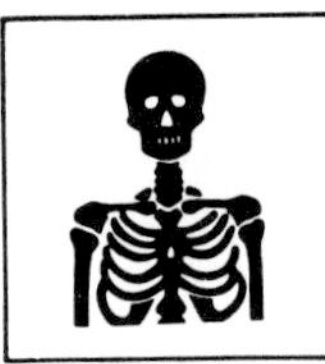

La cirugía es una de las especialidades médicas más importantes, y los cirujanos a menudo tienen que estudiar muchos años para especializarse.

La cirugía es la parte de la medicina que tiene por objeto la curación de las enfermedades por medio de operaciones hechas con diversos instrumentos, generalmente cortantes. A los médicos que la practican se les llama cirujanos.

Los instrumentos que se utilizan en las operaciones deben ser esterilizados para dejarlos libres de microbios. Los médicos y las enfermeras usan guantes, mascarillas y gorros, para no transmitir gérmenes a los pacientes.

Los pacientes son anestesiados antes de ser operados, para que no sientan dolor.

Las operaciones quirúrgicas se realizan, por ejemplo, para reparar algún órgano o tejido, o para sustituirlo o extirparlo. La razón puede ser que éste se encuentre dañado en una forma u otra o que interfiera con las funciones normales del cuerpo.

Véase también *Enfermera, Hospital,* y *Médicos.*

Cisne

Los cisnes son aves acuáticas de cuello largo; están emparentados con los patos y los gansos.

Viven en los hemisferios norte y sur. Hay ocho especies. En su mayoriá, son blancos con marcas negras.

Una variedad tiene una marca negra en la base del pico. Otra tiene la cabeza y el cuello negros. El cisne negro de Australia es único en su especie, y tiene blancas las puntas de las alas.

Los cisnes son de cuerpo largo y patas cortas. Nadan muy bien y vuelan con gracia. Se bambolean al caminar, igual que los patos y los gansos, porque tienen las patas muy hacia atrás.

Se alimentan principalmente de plantas, pero también comen peces, sapos e insectos. Algunas veces comen hierba.

Introducen su largo cuello en el agua para buscar alimento. Hacen nidos grandes en la tierra, cerca del agua.

Los cisnes mayores miden hasta metro y medio largo y pesan unos 23 kilos.

Nadan en forma majestuosa.

Las parejas de cisnes suelen mantenerse unidas toda su vida. La cría del cisne suele montarse en la madre.

Ciudad

Muchas de las grandes ciudades tienen rascacielos como éstos, de Chicago.

Una ciudad es una población donde mucha gente vive y trabaja. Las primeras ciudades fueron construidas en el sudoeste de Asia alrededor del año 5000 a. de C., las que pronto se volvieron centros comerciales, religiosos y políticos. Al ir creciendo, también fueron centros de arte y de saber.

En Grecia, las ciudades-estados se crearon después del año 1000 a. de C. Una ciudad-estado incluía la ciudad propiamente dicha y el territorio que la rodeaba. Atenas y Esparta fueron las dos ciudades-estados principales de Grecia. La más grande de las ciudades antiguas fue Roma. Entre el año 27 a. de C. y el 14 d. de C. su población llegó a ser de unos 800.000 habitantes.

Tras el invento de la máquina de vapor, en el siglo XVIII, las ciudades se volvieron centros industriales, al construirse grandes fábricas que requerían de muchos trabajadores.

En la actualidad hay en el mundo unas 100 ciudades de más de un millón de habitantes. Las tres mayores son: Tokio (13 millones), México (14 millones) y Shangai (11 millones).

Véase también *Grecia: cultura antigua*, *Imperio Romano*, y *Revolución Industrial*.

Civilizaciones antiguas

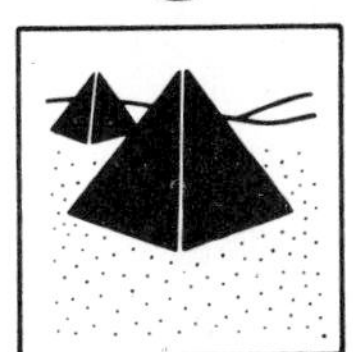

Las civilizaciones antiguas florecieron en regiones en que era fácil cultivar alimentos.

Una civilización es un grupo de personas que viven en sociedad, tienen idioma escrito, producen alimentos, poseen un sistema de gobierno y desempeñan oficios diferentes.

Las civilizaciones antiguas comenzaron cuando los pueblos se establecieron a vivir en lugares fijos. Antes de eso las tribus iban de un lugar a otro, recolectaban comida y cazaban animales. Aproximadamente en el año 9000 a. de C. las tribus aprendieron a cultivar la tierra. Se establecieron cerca de los ríos y cultivaban cereales como el trigo, la cebada y el mijo. Aprendieron a criar cabras, cerdos, ovejas y vacas. Construyeron casas y vivían en aldeas.

Hacia el año 3000 a. de C. el hombre aprendió a construir armas y utensilios de metal y así nacieron oficios nuevos. Los que fabricaban esos utensilios se los daban a los agricultores a cambio de alimentos y de este modo empezó el comercio.

Por esa época se inventó la rueda, luego se inventó el arado y por último se inventó la escritura. Con la rueda, el hombre construyó carretas para el transporte pesado. Con el arado, al hombre se le facilitó roturar la tierra.

Muchas civilizaciones antiguas florecieron en la región comprendida entre los océanos Atlántico e Índico.

Las grandes civilizaciones antiguas florecieron en las orillas del mar Mediterráneo entre el año 3000 a. de C. y el 476 de nuestra era. En este lapso el hombre inventó muchos utensilios y desarrolló ideas que aún son utilizadas hoy.

Por ejemplo, los antiguos egipcios tenían un sistema de escritura y un calendario. Los médicos egipcios enyesaban y entablillaban los huesos rotos.

Los sumerios, que habitaban en la región situada entre los ríos Tigris y Éufrates, inventaron los ladrillos. Los babilonios, también de esa misma región, inventaron los relojes.

Los griegos y romanos se distinguieron en la literatura, la escritura y la arquitectura, e hicieron grandes progresos en el terreno de la ciencia.

Véase también *Babilonia; Egipto: cultura antigua; Grecia: cultura antigua; e Imperio Romano.*

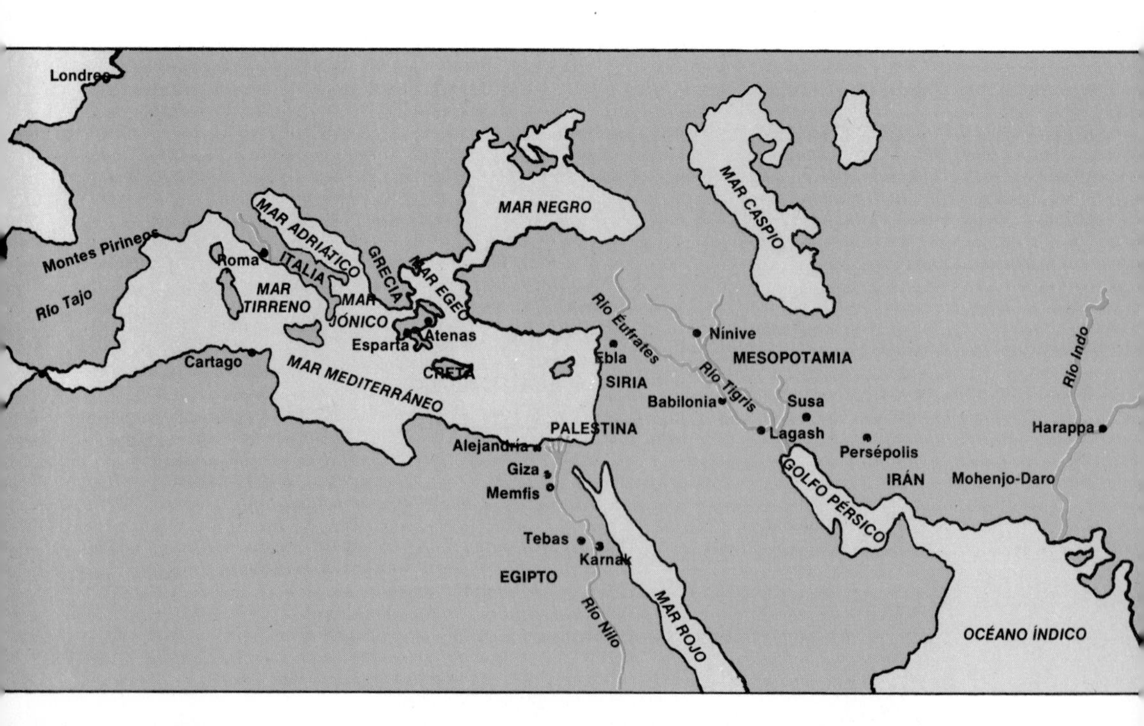

Cizaña

Algunas semillas de cizaña brotan y caen a considerable distancia.

La cizaña es una planta graminácea que perjudica los sembradíos; es muy difícil de extirpar.

Es una de las pocas gramíneas venenosas. Tiene caña rígida y alta, con inflorecencia en espiga; produce granos y semillas de naturaleza narcótica.

Se le da nombres muy diversos, como borrachuela, cominillo, joyo, lolio y luello.

La cizaña se reproduce con mucha facilidad, ayudada por el viento y algunos animales, que esparcen las semillas.

Las hierbas malas, incluida la cizaña, se combaten extrayéndolas de los sitios donde están estorbando o mediante el uso de productos químicos llamados herbicidas.

La cizaña y otras hierbas malas se reproducen en sitios muy diversos. Algunas hierbas crecen en grietas de las aceras.

Clasificación científica

La taxonomía es la parte de la historia natural que se encarga de la clasificación científica de los seres naturales, o sea, las plantas y los animales.

El sistema de clasificación de las plantas y animales fue ideado en el siglo XVIII por el botánico sueco Carolus von Linneo.

Este científico utilizó palabras latinas para los animales y las plantas, con el fin de que hubiera uniformidad. La clasificación de Linneo fue hecha con base en el género, la familia, el orden y la clase.

Phylum es una de las divisiones primarias en los reinos animal o vegetal; la primera división es precisamente la de reino.

Por ejemplo, el perro pertenece al reino animal; tiene columna vertebral, lo cual lo sitúa en el *phylum* de los cordados; tiene pelos y la hembra amamanta a la cría, entonces es de la *clase* de los mamíferos; come carne, lo que lo sitúa en la *orden* de los carnívoros; su *familia* es cánidos y su *género* canis.

Los científicos clasifican los vegetales y los animales de acuerdo con las características de éstos. Los árboles, por ejemplo, se clasifican según la forma de sus hojas, el ángulo de sus ramas y otras cualidades.

Cleopatra

Cleopatra fue la última reina del antiguo Egipto.

Nació en el año 69 a. de C. Era de la dinastía tolemaica. Compartió el gobierno con su hermano menor cuando ella tenía 17 años; pero quería gobernar sola y peleó con él. No tuvo suerte y huyó de Alejandría, la capital. En el año 49 a. de C. logró ver secretamente a Julio César, que había ido a Egipto persiguiendo a Pompeyo. César se enamoró de ella y la ayudó a recuperar el trono. Tuvieron un hijo y Cleopatra fue a Roma con él. Después que César fue asesinado en 44 a. de C., ella regresó a Egipto con su hijo.

Dos años después conoció a Marco Antonio, uno de los tres gobernantes (triunviros) de Roma. También lo cautivó, y se casaron. Años después el triunviro Octavio los derrotó. Marco Antonio se suicidó con su espada y Cleopatra se quitó la vida dejándose morder por una áspid.

Se ha escrito mucho sobre Cleopatra. Shakespeare compuso la obra teatral Marco Antonio y Cleopatra.

Clima

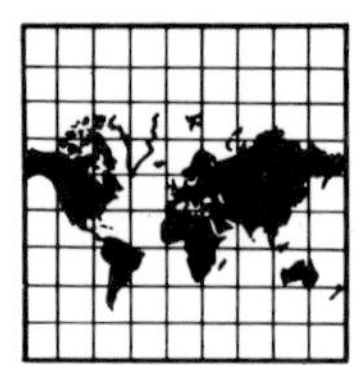

El clima es el conjunto de condiciones atmosféricas que prevalece en un lugar. Esas condiciones son la temperatura, la humedad, los vientos, las lluvias, etcétera. El polo norte tiene clima frío; en el desierto del Sáhara el clima es cálido y seco.

Hay diversas clases de clima. En las zonas donde nunca hay mucho calor ni mucho frío el clima es templado; en donde suele haber mucho calor el clima es tropical.

Hay muchos factores por los que cada lugar tiene un clima determinado. El más importante es la zona en que está localizado. Cerca del ecuador, los rayos solares caen casi en forma vertical al mediodía y eso hace que el clima sea muy caliente. Al norte y sur del ecuador los rayos caen en forma oblicua y eso hace que el clima sea menos caliente.

El clima también es afectado por vientos cálidos y frescos y por las corrientes oceánicas, que son frías o calientes.

La nieve cae, por lo general, en lugares muy lejanos del ecuador.

Cobra

La cobra tiene colmillos afilados y huecos con los que inyecta veneno en sus víctimas.

La cobra, o mangosta, es una serpiente venenosa que se halla en África, el sur de Asia e Indonesia. Casi todas sus especies miden de 1,5 a 2,7 m. Las de mayor tamaño viven en el sudeste de Asia y son las mayores entre las serpientes venenosas; llegan a medir 5,5 m.

Casi todas las cobras comen otras serpientes, pequeños reptiles y roedores. La más conocida es la de la India, domesticada por los llamados encantadores de serpientes. Se dice que ésta, en realidad no capta la música sino que se pone a la expectativa ante un posible ataque.

Las cobras son domesticadas por los encantadores de serpientes.

Cobre

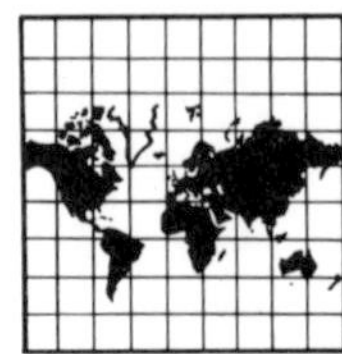

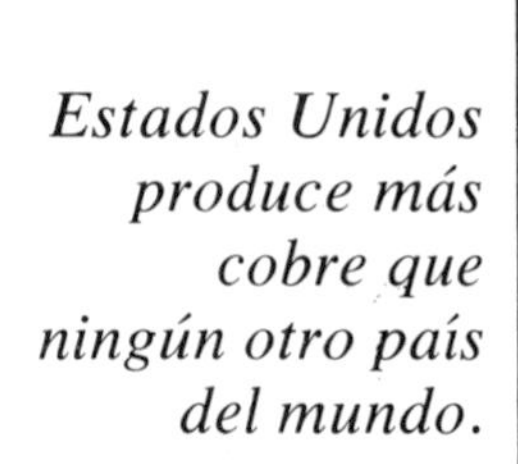

Estados Unidos produce más cobre que ningún otro país del mundo.

El cobre es uno de los metales más importantes del mundo. Es muy resistente, pero puede moldearse y pulirse fácilmente. No se enmohece como el hierro. Tiene color brillante como el del salmón. Es muy buen conductor del calor y transmite la electricidad mejor que ningún otro metal, con excepción de la plata.

El cobre fue descubierto hace unos 8.000 años. En los tiempos antiguos el hombre hacía armas, herramientas y ollas de cobre, así como adornos y prendas. Actualmente el cobre tiene gran mercado por ser tan buen conductor de la electricidad.

El cobre se encuentra casi por todo el mundo, pero principalmente en el oeste de los Estados Unidos, el centro del Canadá, el centro de África y el sur de la América del Sur.

Suele hallársele en combinación con otros elementos, como el azufre.

Por esto último, es necesario refinarlo antes de utilizarlo.

Cocodrilo

El cocodrilo es un reptil grande de piel muy gruesa y escamosa. Hay unas quince especies que viven en lugares cálidos de todo el mundo.

Al cocodrilo le gusta permanecer quieto en el agua, y sólo saca a la superficie los ojos, el hocico y las orejas. Cuando algún pez u otro animal pasa cerca, el cocodrilo lo atrapa con su enorme boca y lo arrastra para comérselo.

Los cocodrilos viven junto a lagos, ríos y pantanos. Sólo una variedad va al mar.

También los caimanes y los gaviales pertenecen a la familia de los cocodrilos.

Véase también *Aligátor*.

Los cocodrilos, los caimanes y los gaviales tienen la piel más dura entre todos los animales.

Los cocodrilos tienen muchos dientes, pero no pueden masticar con ellos. Tragan el alimento en grandes pedazos.

Codornices y urogallos

El urogallo (que aparece en la fotografía) y la codorniz son aves capaces de volar velozmente, aunque sólo distancias cortas. Ambas aves son presa favorita de los cazadores.

Las codornices son aves rechonchas casi sin cola que pertenecen a la familia del faisán. Hay unas 70 especies distintas. La codorniz tiene alas cortas y redondeadas que la permite echarse a volar rápidamente si se le molesta.

El urogallo también es un ave de cuerpo rechoncho, mayor que la codorniz; pertenece a una familia diferente. Hay 18 especies de urogallos. El urogallo tiene las patas cubiertas de plumas. El urogallo y la cordoniz escarban en el suelo para encontrar comida, igual que las gallinas.

La codorniz de California tiene una graciosa pluma curva en la parte superior de la cabeza.

Cohete

Los motores de los cohetes generan un poderoso impulso que los eleva al espacio.

Un cohete es un dispositivo de forma tubular que es impulsado por la fuerza generada por la emisión de gases del combustible que se quema en su interior. El motor de reacción funciona con el mismo principio, pero necesita el oxígeno del aire para quemar el combustible. Los cohetes pueden propulsar una nave hacia el espacio sideral, en donde no hay aire, porque llevan su propio suministro de oxígeno para quemar el combustible.

En la Segunda Guerra Mundial, los alemanes inventaron el cohete V-2, de combustible líquido y alcance de unos 322 kilómetros. Los cohetes norteamericanos Saturno son 20 veces más potentes que los V-2.

A partir de la Segunda Guerra Mundial, Estados Unidos y la Unión Soviética han construido cohetes potentísimos para poner naves espaciales en órbita.

Colibrí

El rápido batir de las alas del colibrí produce un zumbido.

El colibrí es un ave pequeña y de brillantes colores que vive principalmente en las regiones tropicales de América. La mayor de las especies mide poco más de 6 cm de largo. Los colibríes que viven en América del Norte y otras zonas templadas emigran hacia el sur en el invierno.

El vuelo del colibrí es sorprendente: hacia adelante, hacia atrás, hacia los lados o suspendido en el aire. Sus alas se mueven hasta 75 veces por segundo. Como consume mucha energía al volar, necesita mucho alimento para poder seguir subsistiendo.

El colibrí utiliza su largo y delgado pico para libar el néctar de las flores.

Colombia

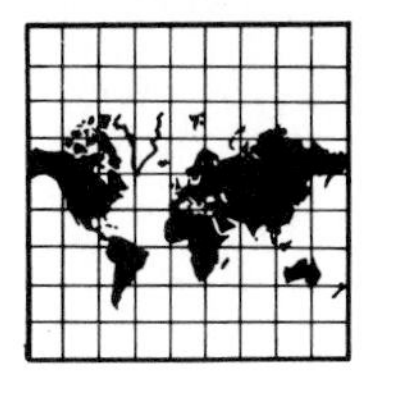

Colombia es un país situado en el ángulo noroeste de la América del Sur. Es el único país sudamericano con costas en el mar de las Antillas y en el océano Pacífico. Es el cuarto país en tamaño en la América del Sur, después de Brasil, Argentina y Perú. Casi toda su población vive en la zona costera al oeste de los Andes. Hacia el este hay llanuras y densas selvas donde no vive mucha gente.

Colombia tiene unos 28 millones de habitantes en una superficie de 1.138.435 km^2. Bogotá es la capital y la mayor de sus ciudades. Más de la mitad de los colombianos son *mestizos,* mezcla de españoles e indios.

Los españoles exploraron el territorio de la actual Colombia en 1500 y su dominio terminó en 1819.

Colombia es una república con ciudades y fábricas modernas. Tiene petróleo, oro, plata y, sobre todo, esmeraldas y café.

Véase también *América del Sur* y *Andes.*

Cartagena, que se muestra aquí, es un puerto marítimo en la costa colombiana del mar de las Antillas.

Colón, Cristóbal

Colón solicitó de los reyes Fernando e Isabel de España que lo ayudaran en el proyecto de su viaje.

Cristóbal Colón descubrió el Nuevo Mundo, al que llamamos América.

Colón nació en Génova, probablemente. Hizo su primer viaje cuando tenía 14 años. Estudió cartografía y geografía y concibió el proyecto de llegar a India por Occidente. Con la ayuda de los Reyes Católicos de España, salió de Palos de Moguer el 3 de agosto de 1492 con tres carabelas (la Santa María, la Pinta y la Niña) y 90 hombres. El 12 de octubre del mismo año, llegó a la isla de Guanahaní, del grupo de las Bahamas, a la que llamó San Salvador. Hizo tres viajes más y murió, en 1506, sin saber que había descubierto un nuevo mundo.

Colón halló oro y otras riquezas cuando descubrió el Nuevo Mundo.

Color

La luz solar contiene los colores del arco iris.

Color es la impresión lumínica que producen en la vista los rayos de luz que reflejan todos los objetos. La luz blanca es la mezcla de los siete colores del arco iris (violeta, azul turquesa, azul, verde, amarillo, anaranjado y rojo). La luz solar o una similar es llamada blanca. El negro no es color, sino la ausencia de luz. Sin luz no hay colores.

Los colores del arco iris se logran mezclando los tres colores primarios, que son el azul, el amarillo y el rojo. La mezcla de azul y amarillo da verde; la de amarillo y rojo da anaranjado; la de azul y rojo produce el violeta.

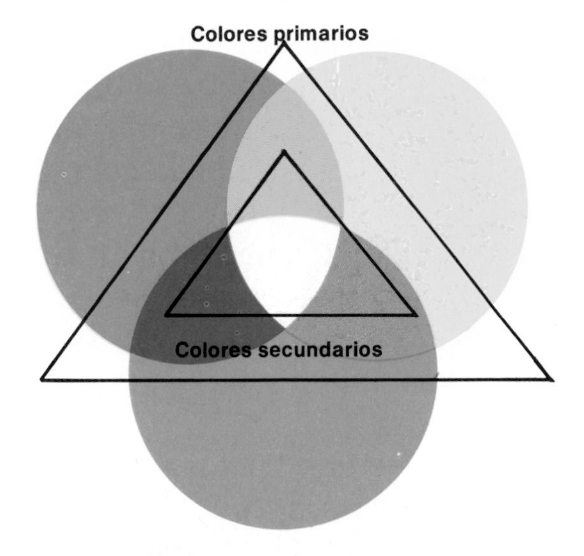

La tabla de colores muestra que los tres colores primarios se combinan y forman los tres colores secundarios (anaranjado, verde y violeta). Se logran cientos de colores y matices combinando los colores del arco iris.

Comadreja

Las comadrejas viven y tienen sus crías en agujeros abandonados por otros animales. Las cubren con la piel de sus víctimas.

La comadreja es un mamífero carnívoro de cuerpo largo, patas cortas y pelo fino.

Hay unas 30 especies que viven en las regiones templadas o frías del norte de Europa, Asia y la América del Norte.

Mide unos 60 centímetros de largo, de la cabeza a la cola.

Debido a su cabeza aplanada y la forma de su cuerpo, puede meterse en espacios estrechos.

Las comadrejas son muy hábiles para la caza. Se alimentan de animales pequeños.

Las comadrejas son atacadas por las lechuzas y los lobos. Cuando eso ocurre, lanzan un líquido maloliente segregado por una glándula situada en la base de la cola. A veces logran alejar así al atacante.

Algunas comadrejas que viven en zonas donde hay nieve se protegen de sus enemigos al tornarse blancas en el invierno. En el verano los tienen castaño en el lomo y blanco en el vientre.

La variedad que tiene pelos blancos en invierno se llama armiño.

Combustible

El combustible es un material que arde y produce calor para calentar una casa, para hacer funcionar aparatos, automóviles o aviones.

El material que se quema se combina rápidamente con el oxígeno y produce energía en forma de calor y luz.

Hay combustibles sólidos, como el carbón; líquidos, como la gasolina, y gaseosos, como el gas natural. Cuando el combustible arde, el calor puede transformar el agua en vapor. Este último se utiliza para hacer funcionar motores. También es posible quemar combustible dentro de un motor; a esto se le llama "combustión interna". Los motores de gasolina y los de reacción son precisamente de combustión interna.

Los combustibles nucleares no arden. En un reactor nuclear los átomos del combustible se separan y producen así energía térmica.

Véase también *Carbón, Cohete, Energía, Energía: nuclear, Máquina de vapor,* y *Petróleo.*

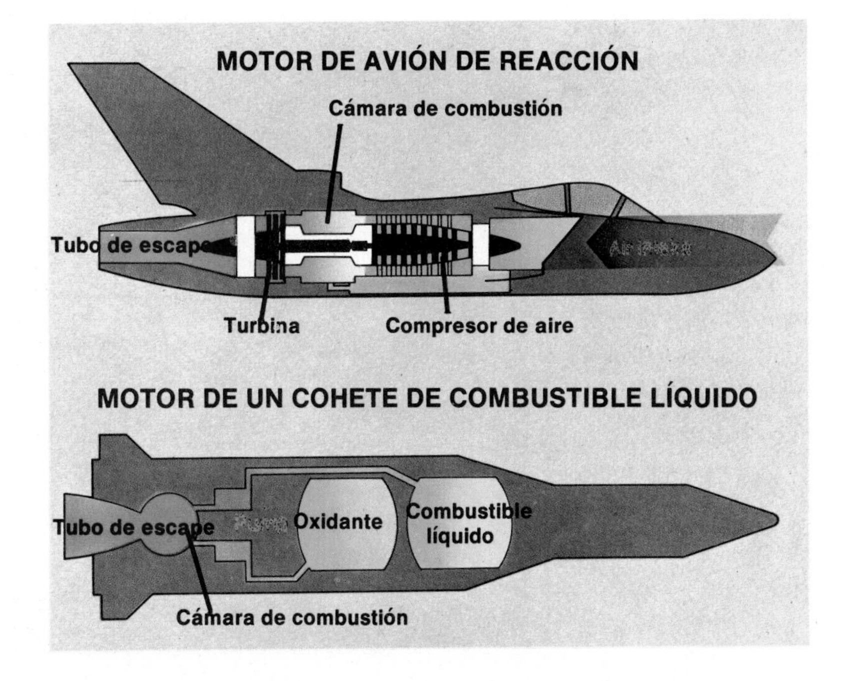

Los aviones de reacción y los cohetes queman combustible para volar. Los cohetes consumen combustibles líquidos o sólidos. Los combustibles líquidos se mezclan con un oxidante, como el oxígeno líquido.

Comedia musical

En las comedias musicales se alternan la declamación, el baile y el canto. En las obras teatrales que no son musicales los actores y actrices simplemente hablan y actúan.

Hay comedias musicales llamadas zarzuelas, de origen español, en las que alternativamente se declama y canta.

Este género teatral fue creado por Pedro Calderón de la Barca en el siglo XVII para divertir a la corte. La primera de esas obras se representó en el Real Sitio de la Zarzuela, de donde le vino el nombre.

La comedia musical moderna se inició en Inglaterra a fines del siglo pasado y alcanzó sus mayores alturas en Estados Unidos, donde el público sigue disfrutando actualmente con ella.

Entre los escritores más famosos de comedias musicales se encuentran Cole Porter, Jerome Kern, George Gershwin, Lorenz Hart, Oscar Hammerstein y Richard Rodgers.

Véase también *Música* y *Ópera*.

Las comedias musicales tienen escenarios llenos de colorido y vestuario variado, como en Oklahoma! *de la que fueron autores, Rodgers y Hammerstein.*

Comercio

Comercio es el negocio de compra y venta de mercancías o del trueque de las mismas.

Puede efectuarse entre naciones y entre personas.

Tanto en un caso como en el otro, la razón del comercio es que unas naciones cuentan con recursos que otras no tienen.

El comercio existe desde tiempos antiguos. Al principio, el trueque era lo más frecuente, cambiándose unos artículos por otros. Luego esa operación se realizó mediante dinero.

En el siglo XIX el comercio aumentó mucho entre las naciones por los adelantos habidos en la industria y los transportes.

La refrigeración hizo posible embarcar a largas distancias productos de fácil descomposición. Los barcos tienen equipo especial para poner a bordo grandes cargas.

Antes de la independencia de las colonias inglesas en la América del Norte, Inglaterra quería que éstas comerciaran solamente con ella.

Créditos de las Fotografías e Ilustraciones

Todas las caricaturas fueron proporcionadas por Walt Disney Productions. Los créditos figuran de izquierda a derecha y de arriba a abajo.

6—B. Watson; 8—David Cook Associates; 9—F. Pouyat/Sturdevants Photo Corp.; 10—G. Hincks; 11—M. Wilson; 12—Calvin Larsen/PR; 13—R. McCaig; 14—G. Hincks; 15—Peter Capen; 16—K. Snyder/FPG; 17—Fujihira/Monkmeyer; 18—Lisl Steiner; 19—Filmbureau Niestadt; 20—American Cancer Society; 21—J. Channel; 22—D. McLean; 23—J. Channel; 24—Tom McHugh/PR; 25—Fischer/Alpha; 26—Colour Library; 27—J. Channel; 28—D. McLean; 29—Jim Howard/Alpha; 30—R. Morton; 31—Bettmann; 32—H. Burnstiner/FPG; 33—N. Weaver; 34—UPI; 35—Bruce Roberts/PR; 36—E. Kincaid; 37—John Zappala; 38—John F. Pile; 39—Tom McHugh NAS/PR; 40—Harrison Forman; 41—Pierre Berger/PR C 1972; 42—Goodyear; 43—David Cook Associates; 44—Ted Schiffman; 47—Aug. Upitis/FPG; 48—Susan Peterson; 49—M. Wilson; 50—Wendell Metzen/PR C 1979; 51—Ric Lopez; 52—J. Maddalone; 53—J. Maddalone; 54—Richard Parker/PR; 55—R. Parker PR/NAS; 56—Richard Weymouth Brooks Rapho/PR C 1974; 57—NASA; 58—Walt Disney Productions; 59—George Sottung; 60—Leonard Lee Rue III NAS/PR; 61—S. Dalton NAS/PR; 62—R. Morton; 63—David Cook Associates; 64—Wicks/OSF/Taurus; 65—Cerney/Alpha; 66—General French/FPG; T. Hayward; 67—Willigner/Shostal Associates; 68—Harry Wilks/Stock, Boston; 69—David Cook Associates; 70—Colour Library; 71—R. McCaig; 72—Robert Frankenberg; 73—David Cook Associates; 74—G. Hincks; 75—J. Maddalone; 76—Walt Disney Productions; 77—David Cook Associates; 78—Kennecott Copper; 79—David Cook Associates; 80—R. Morton; 81—NASA; 82—David Cook Associates; 83—Carl Frank/PR; 84—Kean Archives; 86—John Markham; 87—R. Burns; 88—Martha Swope; 89—Shostal Associates.